J. S. BACH

Weihnachts-Oratorium

Christmas Oratorio

BWV 248

Englische Übersetzung von / English translation by
Henry S. Drinker

Klavierauszug
nach dem Urtext der Neuen Bach-Ausgabe von
Piano Reduction
based on the Urtext of the New Bach Edition by

Alfred Dürr

Bärenreiter Kassel · Basel · London · New York · Praha
BA 5014-90

Neben der vorliegenden Ausgabe sind eine Studienpartitur (TP 85) sowie das komplette Aufführungsmaterial (BA 5014) erhältlich.

In addition to the present vocal score, a study score (TP 85) as well as the complete performance material (BA 5014) are also available.

Ergänzende Ausgabe zu: *Johann Sebastian Bach, Neue Ausgabe sämtlicher Werke,* herausgegeben vom Johann-Sebastian-Bach-Institut Göttingen und vom Bach-Archiv Leipzig, Serie II, Band 6: *Weihnachts-Oratorium,* vorgelegt von Walter Blankenburg und Alfred Dürr (BA 5014).

Supplementary edition based on: *Johann Sebastian Bach, Neue Ausgabe sämtlicher Werke,* issued by the *Johann-Sebastian-Bach-Institut* Göttingen and the *Bach-Archiv* Leipzig, Series II, Volume 6: *Weihnachts-Oratorium,* edited by Walter Blankenburg and Alfred Dürr (BA 5014).

---

34. Auflage / 34th Printing 2017

ISMN 979-0-006-46166-0

BESETZUNG / ENSEMBLE

Soli: Soprano, Alto, Tenore, Basso

Coro: Soprano, Alto, Tenore, Basso

Flauto traverso I, II, Oboe I, II (auch / also Oboe d'amore I, II), Oboe da caccia I, II;
Corno da caccia I, II, Tromba I–III; Timpani;
Violino I, II, Viola;
Continuo (Fagotto, Violoncello, Violone, Organo)

AUFFÜHRUNGSDAUER / DURATION

Teil I / Part I: ca. 29 min.
Teil II / Part II: ca. 28 min.
Teil III / Part III: ca. 25 min.
Teil IV / Part IV: ca. 26 min.
Teil V / Part V: ca. 25 min.
Teil VI / Part VI: ca. 24 min.

INHALT / CONTENTS

I. Teil: Am 1. Weihnachtstag

II. Teil: Am 2. Weihnachtstag

Part I: Christmas Day

Part II: Second Christmas Day

III. Teil: Am 3. Weihnachtstag

Part III: Third Christmas Day

IV. Teil: Am Fest der Beschneidung Christi

Part IV: Feast of the Circumcision

V. Teil: Am Sonntag nach Neujahr

Part V: Sunday after New Year

VI. Teil: Am Epiphaniasfest

Part VI: Feast of Epiphany

VORWORT

Die Wertschätzung, die Bachs Weihnachts-Oratorium in unserem Musikleben genießt und die dem Werk auch vor allen übrigen Weihnachtskantaten des Thomaskantors eine Vorzugsstellung einräumt, ist vornehmlich durch seine inhaltliche Konzentration auf das weihnachtliche Geschehen selbst begründet. Das textliche Rückgrat des Werkes bildet der biblische Bericht von der Geburt Jesu, der Verkündigung durch den Engel, der Anbetung der Hirten, von der Namensgebung und von den Weisen aus dem Morgenland. Bach folgt darin in großen Zügen den für die einzelnen Sonn- und Festtage vorgeschriebenen Evangelienlesungen, weicht jedoch überall da von der kirchlichen Einteilung ab, wo es gilt, die Kontinuität der Erzählung zu wahren. Daraus folgt: Die sechs Teile des Weihnachts-Oratoriums bilden, wenngleich an sechs verschiedenen Tagen der Weihnachtszeit aufzuführen, doch ein inhaltliches Ganzes.

In den Jahren nach 1729 und besonders um 1733/1734 lag der Schwerpunkt des Bachschen Schaffens auf dem Gebiet weltlicher Musik. Hatten die ersten Leipziger Jahre dazu dienen müssen, einen Fundus an Kirchenkantaten zu schaffen, auf den er nunmehr nach Bedarf zurückgreifen konnte, so stand ihm seit 1729 in dem von Telemann gegründeten studentischen Collegium musicum eine Schar Getreuer zur Verfügung, mit denen er auch außerkirchliche Aufführungen in glanzvoller Besetzung wagen konnte. Zumal seit der Thronbesteigung Augusts III. im Jahre 1733 führte Bach zahlreiche prächtige, an Mitglieder des Kurfürstlichen Hauses von Sachsen gerichtete Glückwunschkantaten auf, um seine Kunst zu zeigen und seiner mit der „Missa" überreichten Bitte um den Titel eines Hofkapellmeisters das rechte Gewicht zu verleihen. Wie verfehlt es aber wäre, in dieser Entwicklung das Zeichen eines Gegensatzes oder gar Konfliktes geistlich-weltlich zu sehen, beweist nichts schlagender, als die Herübernahme einiger der schönsten Stücke dieser Glückwunschkantaten in das im Jahr 1734 entstandene Weihnachts-Oratorium. Ja, wenn Bach es wagen konnte, den Bestand an Chören und Arien zweier weltlicher Kantaten – *Laßt uns sorgen, laßt uns wachen* (Herkules auf dem Scheidewege, BWV 213) und *Tönet ihr Pauken, erschallet, Trompeten* (BWV 214)[1] – fast vollständig in das Weihnachts-Oratorium zu überführen, so möchte man annehmen, Bach habe schon bei der Komposition daran gedacht, die gelungensten Stücke aus dem Eintagsleben der Gratulationskantate in die alljährliche Wiederverwendbarkeit eines kirchenjahreszeitlich gebundenen Werkes hinüberzuretten.

Um das Jahr 1734 fasste Bach den Plan, für einige wichtige Feste des Kirchenjahres Oratorien zu schreiben, die nach Art der Kantate in den sonntäglichen Gottesdiensten aufzuführen waren. Wir besitzen von ihm ein Weihnachts- und ein Himmelfahrts-Oratorium, dazu ein Oster-Oratorium, das als Umarbeitung einer ursprünglich weltlichen Kantate eine Sonderstellung einnimmt. Vielleicht war auch ein Pfingst-Oratorium geplant; oder es ist gar komponiert worden und später verloren gegangen.

Wer den Text zum Weihnachts-Oratorium gedichtet hat, ist unbekannt. Die flüssige Art der Umdichtung weltlicher Vorlagen – zweifellos in enger Zusammenarbeit mit Bach – lässt an Picander denken, doch fehlt der Text in seinen gedruckten Werken.

Verschiedene Sätze lassen erkennen, dass der ursprüngliche Plan bei der Komposition geändert worden ist. So zeigt z. B. die Strophenform von „Ehre sei dir, Gott, gesungen", dass die Dichtung ursprünglich dem Chor „Lust der Völker, Lust der Deinen" aus Kantate BWV 213 unterlegt werden sollte; Bach hat es jedoch vorgezogen, eine andere, vermutlich neukomponierte Musik dafür zu verwenden. Ähnlich scheint es der Arie „Schließe, mein Herze, dies selige Wunder" ergangen zu sein, als deren Musik, wenn nicht alles täuscht, die Arie „Durch die vom Eifer entflammeten Waffen" aus Kantate BWV 215 ausersehen gewesen war. Auch hier hat Bach eine neue Komposition geschaffen und die Musik aus Kantate BWV 215 einer späteren Arie des Weihnachts-Oratoriums, „Erleucht auch meine finstre Sinnen",

1 Die Herkules-Kantate erklang zum Geburtstag des Kurprinzen am 5. 9. 1733, die Kantate *Tönet, ihr Pauken* zum Geburtstag der Königin am 8. 12. 1733.

zugrunde gelegt. Endlich konnte in neuester Zeit nachgewiesen werden, dass der gesamte VI. Teil des Oratoriums mit Ausnahme der Evangelisten-Rezitative und des Chorals „Ich steh an deiner Krippen hier" aus einer verschollenen Kirchenkantate J. S. Bachs herübergenommen worden ist, ein Vorgang, der zweifellos mit einer vollständigen oder weitgehenden Umdichtung des ursprünglichen, uns nicht erhaltenen Textes verbunden war. Vielleicht waren es diese Änderungen des ursprünglichen Kompositionsplanes, die auch textlich manchen Eingriff mit sich gebracht haben mögen, die Picander von einer Veröffentlichung des Textes unter seinem Namen abhielten.

Bei der Komposition bewundern wir wieder, wie so oft, die Fähigkeit Bachs, aus verschiedenartigen älteren und ad hoc komponierten Stücken ein neues und in sich ausgewogenes Gesamtwerk zu schaffen.[2] Bachs Partiturautograph, das auch in einer Faksimile-Ausgabe vorliegt,[3] führt in seinem Wechsel zwischen Reinschrift- und Konzeptpartien den Entstehungsvorgang deutlich vor Augen. Dieser Angleichungsvorgang der übernommenen Stücke an ihre neue Umgebung ist aber keineswegs nur äußerlich und beschränkt sich nicht allein auf Tonart, Besetzung, allgemeine Stimmung des Satzes usw. So ist z. B. das „Kindelwiegen" ein in der Christvesper viele Jahrhunderte hindurch geübter Brauch, und wenn die Arie „Schlafe, mein Liebster, und pflege der Ruh", mit der die „Wollust" den jungen Herkules in Kantate BWV 213 zu betören sucht, unter dem Text „Schlafe, mein Liebster, und pflege der Ruh" ins Weihnachts-Oratorium übernommen wird, so will es uns scheinen, als habe sie hier erst den eigentlichen, ihr zukommenden Platz gefunden. Ähnlich steht es mit der Symbolik der Trompete, die als königliches Instrument bis kurz vor Bachs Zeit aus dem bürgerlichen Leben noch völlig verbannt war: In der Aria „Kron und Preis gekrönter Damen" erklingt sie als fürstliches Attribut zu Ehren der Königin von Polen; wenn sie dagegen zu dem Text „Großer Herr, o starker König" das noch unsichtbare Königtum des in Armut geborenen Jesuskindes aufzeigen soll, so wird daraus eine theologische Aussage. Dass Flöte und Oboe in Teil II des Oratoriums den Hirten zugewiesen sind, ist offensichtlich. Solche und ähnliche Feststellungen beweisen aber, wie wenig Bach es bei einer schematischen Übertragung der weltlichen Sätze in das Oratorium bewenden ließ.

2 Eine ausführliche Darstellung der Entstehungsgeschichte unter Nachweis der einzelnen aus anderen Werken übernommenen Kompositionen bringt der Kritische Bericht II/6 der Neuen Bach-Ausgabe, auf dessen Studium hier verwiesen sei.

3 Bärenreiter-Verlag Kassel, Basel, London, New York 1960.

*

Der vorliegende Klavierauszug folgt in seinen Lesarten der Veröffentlichung der *Neuen Bach-Ausgabe*, Serie II, Band 6, mit dem durch die Zusammenziehung der Instrumentalstimmen auf zwei Systeme bedingten Vereinfachungen. Aus Gründen der Übersichtlichkeit wurde auf eine Kennzeichnung der (sparsam angebrachten) Herausgeberzusätze im Klavierpart verzichtet; in den Singstimmen wurde sie dagegen beibehalten. Hier sind also vom Herausgeber zugesetzte Bögen punktiert, Akzidenzien über die Noten gesetzt, andere Zeichen in ( ) wiedergegeben. Dadurch soll dem Sänger die selbstverantwortliche Entscheidung möglich gemacht werden, ob er den Intentionen des Herausgebers folgen will oder nicht.

Um das Notenbild der Originalquellen nicht zu verunklaren, wurden nur wenige Zutaten hinzugefügt und auch auf die nahe liegende Vervollständigung der vorgefundenen Legatobögen in den Gesangssystemen verzichtet: Die Bindungen ergeben sich ohnehin durch den unterlegten Text von selbst. Dass dadurch einige Chorsätze oder z. B. das Duett Nr. 29 (vgl. dort z. B. die Takte 21ff.) ein äußerlich unbefriedigendes Bild ergeben, war nach Ansicht des Herausgebers noch leichter in Kauf zu nehmen, als ein Überwuchern des originalen Notenbildes durch eine Unzahl von hinzugefügten, aber im Endeffekt entbehrlichen Bögen.

Selbstverantwortlich möge der Sänger auch entscheiden, an welcher Stelle er die vom Herausgeber über dem Gesangssystem als Ausführungsvorschlag beigegebenen Appoggiaturen übernehmen möchte und wo nicht. Aus Beispielen, wie sie etwa G. Ph. Telemann in seinem Kantatenjahrgang *Der Harmonische Gottesdienst*, Hamburg 1725/26[4], gibt, wissen wir, dass diese sängerische Manier zu Bachs Zeit außerordentlich

4 Neuausgabe im Bärenreiter-Verlag, Kassel und Basel (1953).

verbreitet gewesen ist und wahrscheinlich wesentlich häufiger angewendet wurde, als man heute glaubt. Trotzdem wurde die Ausführung schon damals dem einzelnen Sänger überlassen, und der Herausgeber ist der Ansicht, dass auch heute von Fall zu Fall entschieden werden muss, wo und wie häufig die Anwendung derartiger Manieren mit den Fähigkeiten und dem Aufführungsstil des Sängers vereinbar ist. Die mitgeteilten Ausführungsvorschläge deuten demnach nur auf die Möglichkeiten, nicht aber die Notwendigkeit ihrer Anwendung hin.

Über die Besetzung des Continuo geben uns die Quellen weitgehenden, aber keineswegs restlosen Aufschluss. Auf alle Fälle ist durchweg die Orgel beteiligt, ferner liegen für sämtliche Teile zwei nicht näher bezeichnete „Continuo"-Stimmen vor[5], aus denen auf die durchgehende Beteiligung von Violoncello und Violone (außer in Satz 47) geschlossen werden muss. Für den I. Teil liegt noch eine Fagottstimme vor, die die Sätze 1 bis 9 durchgehend enthält. Doch wäre es verfehlt, wollte man daraus schließen, das Fagott habe in den fünf übrigen Teilen geschwiegen; seine Mitwirkung ist mindestens für diejenigen Sätze anzunehmen, die auch in den Oberstimmen Rohrblattinstrumente verwenden (ausgenommen vielleicht Satz 47). Dem geschilderten Quellenbefund entsprechend ist eine Aufschlüsselung der an der Ausführung des Continuo beteiligten Instrumente in der Besetzungsangabe nur zu Beginn gegeben.

Alfred Dürr

5 In Teil IV enthält eine dieser beiden Stimmen Bezifferung, doch möchten wir daraus nicht auf eine gleichzeitige Heranziehung von Cembalo und Orgel (zu einem einzigen der sechs Teile!) schließen, sondern eher auf eine Vertretung der Orgel durch Cembalo bei einer späteren Aufführung.

PREFACE

Bach's Christmas Oratorio is held in higher esteem than any of his other Christmas cantatas; this is due first and foremost to its textual concentration on the Christmas story. The backbone of the text of the work is the bible narrative of the birth of Jesus, the angelic annunciation, the adoration of the shepherds, the naming of Jesus, and the coming of the Wise Men from the East. Bach here follows the general outline of the prescribed lessons for the individual Sundays and festivals, but he departs from the church division of the story in the interests of narrative continuity. In consequence the six parts of the Christmas Oratorio form a whole, even though they are to be performed on six different days of the Christmas season.

In the years after 1729, and especially in 1733/1734, the emphasis in Bach's creative work lay in the field of secular music. The first years in Leipzig had called for the composition of a quantity of church cantatas on which he could now draw according to need; and from 1729 onwards the students' *Collegium musicum* which Telemann had founded provided him with a loyal band of excellent musicians able to take part in secular concerts. After Augustus III had come to the throne in 1733, Bach performed many splendid occasional cantatas written for members of the electoral house of Saxony; these works were intended to show Bach's skill, and also to lend weight to his application (presented with the Mass in B minor) for the title of *Hofkapellmeister.* Yet it would be wrong to see in this trend signs of a contrast or conflict between sacred and secular interests. This is shown most clearly by the borrowing of some of the finest movements of the occasional cantatas for the Christmas Oratorio of 1734. Indeed, since Bach saw fit to transfer almost complete the greater part of the choruses and arias of two secular cantatas – *Laßt uns sorgen, laßt uns wachen* (*The Choice of Hercules*, BWV 213) and *Tönet, ihr Pauken, erschallet, Trompeten* (BWV 214)[1] – to the Christmas Oratorio, one is tempted to assume that he had planned at the time of composition to rescue the best numbers of these ephemeral secular cantatas and thus assure their annual performance within the framework of the church calendar.

In about 1734 Bach decided to write oratorios for some of the major festivals of the church year; these were to be performed during the Sunday services in the same way as the cantatas. We have a Christmas and an Ascension Oratorio; there is also an Easter Oratorio, but it belongs to a separate category in that it is an adaptation of a secular cantata. A Whitsun Oratorio may also have been planned; indeed, it may have been written and then later lost.

It is not known who wrote the text of the Christmas Oratorio. The fluent manner in which secular models are adapted – doubtless in close cooperation with Bach himself – points to Picander; but the text is not included in his published works. Various movements make it clear that the original plan was altered in composition. The verse form of, for instance, *Ehre sei dir, Gott, gesungen* shows that the text was originally to have been fitted to the music of the chorus *Lust der Völker, Lust der Deinen* from the cantata BWV 213; but Bach then took a different piece in preference, probably an entirely new composition. The case of *Schließe, mein Herze, dies selige Wunder* seems to be similar, for this aria was, in our opinion, to have borrowed the music of the aria *Durch die vom Eifer entflammeten Waffen* from cantata BWV 215. Bach in fact wrote new music for this aria too, later using the music of the number from the cantata BWV 215 for the aria *Erleucht auch meine finstre Sinnen* in the Christmas Oratorio. It has recently and at long last been established that the whole of part VI of the oratorio, with the exception of the Evangelist's recitatives and the chorale *Ich steh an deiner Krippen hier,* was taken over from one of J. S. Bach's missing church cantatas – a procedure which clearly involved a complete or nearly complete adaptation of the lost original text. The alterations which this revision necessitated perhaps made Picander unwilling to publish the text under his own name.

We cannot help admiring Bach's ability to create a new and perfectly integrated work of art out of older and ad hoc compositions.[2] Bach's autograph score, now available in a facsimile edition,[3] reveals the genesis of the work as the appearance of the manuscript alternates between fair copy and rough draft. The process whereby the old and the new are assimilated is, however, by no means superficial or restricted merely to matters of key, orchestration or the mood of a number. Thus the rocking of the cradle has for centuries played a part in Christmas vespers; when the aria *Schlafe, mein Liebster, und pflege der Ruh* with which *Pleasure* seeks to fascinate the young *Hercules* in cantata BWV 213 is taken over into the Christmas Oratorio with the text *Schlafe, mein Liebster, genieße der Ruh,* it seems so entirely appropriate here that we cannot conceive how it could belong anywhere else. The same is true of the symbolic use of the trumpet. Until shortly before Bach's time this regal instrument had absolutely no middle class associations. In the aria *Kron und Preis gekrönter Damen* the trumpet rings out as an attribute of royalty in honour of the Queen of Poland; when it is heard against the text *Großer Herr, o starker König* to suggest the as yet unrevealed kingship of the Christ child born in lowliness, it proclaims a theological truth. It is obvious that flute and oboe will be used for the shepherds in Part II of the oratorio. These and other examples show how far from the merely mechanical was Bach's systematic transference of secular movements into the oratorio.

1 The Hercules-Cantata was first performed on the birthday of the electoral prince on 5 September 1733, the cantata *Tönet, ihr Pauken* on the queen's birthday, 8 December 1733.

2 A full account of the genesis of the work and reference to the individual borrowings from other compositions is to be found in the *Kritischer Bericht* II/6 of the *Neue Bach-Ausgabe.*

3 Bärenreiter-Verlag, Kassel, Basel, London, New York 1960.

*

The present vocal score follows the readings of the *Neue Bach-Ausgabe* (Series II, vol. 6), with the exception of the simplifications made necessary by the reduction of the instrumental parts to two staves. For the sake of clarity the piano part does not specify the very few emendations which the editor has made, though these are indicated in the vocal parts as follows: slurs are shown by dotted lines, accidentals have been placed above the note, and other signs have been placed in brackets ( ). It is thus left to the singer to decide for himself whether or not to follow the editor's suggestions. With a view to complicating as little as possible the lay-out of the original sources, the vocal parts do not contain even the most obvious additional legato slurs needed; these are in any case made clear by the words of the text. That in consequence some of the choral movements, and also the duet No. 29 for instance (cf. bars 21ff. e. g.), appear to be not entirely satisfactory is in the opinion of the editor to be preferred to an overcrowding of the original version with a large number of additional but in the last resort unnecessary slurs.

The singer is naturally at liberty to decide where he follows and where rejects the appoggiaturas which the editor has added above the notes as a guide for performance. From examples found for instance in G. Ph. Telemann's cantata cycle *Der Harmonische Gottesdienst*, Hamburg 1725/26[4], we know that this custom was widespread among singers in Bach's day, and was probably indulged in more frequently than we now realise.

Nevertheless the embellishments were by that time already left to the individual singer, and the editor is of the opinion that even today each case must be judged on its own merits: the decision as to the degree of ornamentation must be taken after consideration of the capabilities and style of performance of the individual singer. Thus the suggested appoggiaturas merely indicate a way of performance; they are not to be taken as obligatory.

The sources give us some indication of the scoring of the continuo, but this is not to be considered as difinitive. There can be no doubt that the organ was employed throughout; and in addition all six parts contain two continuo lines of which the scoring is not specified[5]; however, it can be assumed that violoncello and violone were intended throughout, with the exception of No. 47. There is in addition a bassoon part for all nine numbers of Part I. It would be wrong to assume, however, that the bassoon was not employed in the other five parts: its use is to be inferred at least in those movements which include reed instruments in their upper parts (with the possible exception of No. 47). In accordance with the sources an indication of the instrumentation of the continuo is only given at the beginning of the work.

Alfred Dürr

(translated by Peter Branscombe)

4 New edition published by the Bärenreiter-Verlag, Kassel and Basel (1953).

5 In Part IV one of these two lines contains figuring. This we interpret not as an indication that harpsichord and organ were employed simultaneously (which would be improbabale in just one of the six parts), but that in some later performance the organ was here replaced by a harpsichord.

ABKÜRZUNGEN / ABBREVIATIONS

Als Besetzungsangaben werden im vorliegenden Klavierauszug die folgenden Abkürzungen verwendet:

The following abbreviations are used in the present vocal score to indicate the instrumentation:

Cor.	Corno da caccia, Corni da cacca
Fag.	Fagotto
Fl.	Flauto traverso, Flauti traversi
Ob.	Oboe, Oboi
Ob. d'am.	Oboe d'amore, Oboi d'amore
Ob. da c.	Oboe da caccia, Oboi da caccia
Org.	Organo
Timp.	Timpani
Trba., Trbe.	Tromba, Trombe
Va.	Viola
Vc.	Violoncello
Viol.	Violino, Violini

Weihnachts-Oratorium · Christmas Oratorio

I. Teil · Part I

Am 1. Weihnachtstag · Christmas Day

Jauchzet, frohlocket, auf, preiset die Tage
Shout ye exultant this Day of Salvation

Johann Sebastian Bach
Klavierauszug von Alfred Dürr

1. Coro

*) Zur Besetzung des Continuo vgl. Vorwort, S. V. / For the instumentation of the continuo see p. VII of the preface.

26
29
Tutti
33
Soprano
Jauch-zet, froh - lok - ket, auf, prei-set die Ta - ge,
Shout ye ex - ul - tant this Day of Sal - va - tion,
Alto
Jauch-zet, froh - lok - ket, auf, prei-set die Ta - ge,
Shout ye ex - ul - tant this Day of Sal - va - tion,
Tenore
Jauch-zet, froh - lok - ket, auf, prei-set die Ta - ge,
Shout ye ex - ul - tant this Day of Sal - va - tion,
Basso
Jauch-zet, froh - lok - ket, auf, prei-set die Ta - ge,
Shout ye ex - ul - tant this Day of Sal - va - tion,
Viol.
Ob.
Fl.
Va.
Timp.

39
jauch - zet, froh - lok - ket,
shout ye ex - ul - tant,
jauch - zet, froh - lok - ket,
shout ye ex - ul - tant,
jauch - zet, froh - lok - ket,
shout ye ex - ul - tant,
jauch - zet, froh - lok - ket,
shout ye ex - ul - tant,
+Viol. I
Trba. I
Trba. II
Trba. III
43
jauch - zet, froh - lok - ket, auf, prei - set die Ta - ge, rüh - met, was heu - te der
shout ye ex - ul - tant this Day of Sal - va - tion, glo - ry to God in the
jauch - zet, froh - lok - ket, auf, prei - set die Ta - ge, rüh - met, was heu - te der
shout ye ex - ul - tant this Day of Sal - va - tion, glo - ry to God in the
jauch - zet, froh - lok - ket, auf, prei - set die Ta - ge, rüh - met, was heu - te der
shout ye ex - ul - tant this Day of Sal - va - tion, glo - ry to God in the
jauch - zet, froh - lok - ket, auf, prei - set die Ta - ge, rüh - met, was heu - te der
shout ye ex - ul - tant this Day of Sal - va - tion, glo - ry to God in the
Fl., Ob.
Trbe.
Archi
Archi
Tutti

49
Höch - ste ge - tan! Las - - set das
High - est to - day! Fear ye no
Höch - ste ge - tan! Las - - set das Za-gen, ver - ban-net die
High - est to - day! Fear ye no lon-ger, for - sake la - men -
Höch-ste ge - tan! Las - - set das Za-gen, ver - ban-net die Kla-ge,
High -est to - day! Fear ye no lon-ger, for - sake la - men - ta - tion,
Höch - ste ge - tan! Las - - set das Za -gen, ver -
High - est to - day! Fear ye no lon - ger, for -
+Viol. I
Fl., Ob. II
+Fl., Ob. I
Va.
Viol. II
55
Za - gen, ver - ban-net die Kla - ge, las - - set das
lon - ger, for - sake la - men - ta - tion, fear ye no
Kla - ge, las - - set das Za - gen, ver - ban - net die
ta - tion, fear ye no lon - ger, for - sake la - men -
las - - set das Za - gen, ver - ban - net die Kla - - -
fear ye no lon - ger, for - sake la - men - ta - - -
ban - net die Kla - ge, las - - set das Za - - -
sake la - men - ta - tion, fear ye no lon - - -

60
Za-gen, ver - ban-net die Kla-ge, ver - ban-net die Kla-ge, ver - ban - - -
lon-ger, for - sake la-men - ta-tion, for - sake la - men - ta-tion, for - sake
Kla - - - ge, las - - - set das Za-gen, ver - ban - - -
ta - - - tion, fear ye no lon-ger, a - way
- ge, las - - - set das Za - gen, las-set das Za - - -
- tion, fear ye no lon-ger, fear ye no lon - - -
- gen, ver - ban - - - - - - net die Kla-ge, ver - ban - - -
- ger, for - sake la - men - ta-tion, for - sake
66
- - - - net die Kla-ge, las - - set das Za - gen, ver -
la - men - ta - tion, fear ye no lon - ger, for -
- net, ver - ban - net die Kla - ge, las - - set das Za - gen, ver -
, put a - way la - men - ta - tion, fear ye no lon - ger, for -
- - gen, ver - ban - net die Kla - ge, las - - set das Za - gen, ver -
- - ger, for - sake la - men - ta - tion, fear ye no lon - ger, for -
- - - - net die Kla - - ge, las - set das Za - gen, ver -
la - men - ta - - tion, fear ye no lon - ger, for -

71
ban - net die Kla - - ge, las - set das Za - gen, ver -
sake la - men - ta - - tion, fear ye no lon - ger, for -
ban - net die Kla - - ge, las - set das Za - gen, ver -
sake la - men - ta - - tion, fear ye no lon - ger, for -
ban - net die Kla - - ge, las - set das Za - gen, ver -
sake la - men - ta - - tion, fear ye no lon - ger, for -
ban - net die Kla - - ge, las - set das Za - gen, ver -
sake la - men - ta - - tion, fear ye no lon - ger, for -
75
ban - net die Kla - ge, stim - met voll Jauch - - - -
sake la - men - ta - tion, sing ye with glad - - - -
ban - net die Kla - ge, stim - met voll Jauch - - - -
sake la - men - ta - tion, sing ye with glad - - - -
ban - net die Kla - ge, stim - met voll Jauch - - - -
sake la - men - ta - tion, sing ye with glad - - - -
ban - net die Kla - ge, stim - met voll Jauch - - - -
sake la - men - ta - tion, sing ye with glad - - - -

79
zen und Fröh-lich-keit an!
ness, ex - ul - tant and gay.
zen und Fröh-lich-keit an!
ness, ex - ul - tant and gay.
zen und Fröh-lich-keit an!
ness, ex - ul - tant and gay.
zen und Fröh-lich-keit an!
ness, ex - ul - tant and gay.
Trbe.
Ob.
Archi
Fl.
85
Jauch-zet, froh - lok - ket,
Shout ye ex - ul - tant
Jauch-zet, froh - lok - ket,
Shout ye ex - ul - tant
Jauch-zet, froh - lok - ket,
Shout ye ex - ul - tant
Jauch-zet, froh - lok - ket,
Shout ye ex - ul - tant
Trbe.
Fl.
Tutti

91
auf, prei - set die Ta - ge, jauch - zet,
this Day of Sal - va - tion, shout ye
auf, prei - set die Ta - ge, jauch - zet,
this Day of Sal - va - tion, shout ye
auf, prei - set die Ta - ge, jauch - zet,
this Day of Sal - va - tion, shout ye
auf, prei - set die Ta - ge, jauch - zet,
this Day of Sal - va - tion, shout ye
Ob.
Viol.
Trba. I
96
froh - lok - ket, jauch-zet, froh - lok - ket, auf,
ex - ul - tant, shout ye ex - ul - tant this
froh - lok - ket, jauch-zet, froh - lok - ket, auf,
ex - ul - tant, shout ye ex - ul - tant this
froh - lok - ket, jauch-zet, froh - lok - ket, auf,
ex - ul - tant, shout ye ex - ul - tant, this
froh - lok - ket, jauch-zet, froh - lok - ket, auf,
ex - ul - tant, shout ye ex - ul - tant this
Trba. II
Trba. III
Fl., Ob.
Trbe.

101
preiset die Ta - ge, rühmet, was heute der Höchste getan!
Day of Salvation, glory to God in the Highest today.
preiset die Ta - ge, rühmet, was heute der Höchste getan!
Day of Salvation, glory to God in the Highest today.
preiset die Ta - ge, rühmet, was heute der Höchste getan!
Day of Salvation, glory to God in the Highest today.
preiset die Ta - ge, rühmet, was heute der Höchste getan! Las -
Day of Salvation, glory to God in the Highest today. Fear
Archi
Tutti
107
Las - set das Zagen, ver -
Fear ye no longer, for -
Las - set das Zagen, ver - bannet die
Fear ye no longer, for - sake lamen -
Las - set das Zagen, ver - bannet die Klage,
Fear ye no longer, for - sake lamen - tation,
- set das Zagen, ver - bannet die Klage, las -
ye no longer, for - sake lamen - tation, fear
Va.
+Ob., Viol.II
+Ob., Viol.I
+Fl.

112
ban-net die Kla-ge, las - set das Za-gen, ver - ban-net die
sake la-men - ta-tion, fear ye no lon-ger, for - sake la-men -
Kla-ge, las - set das Za-gen, las - set das
ta-tion, fear ye no lon-ger, fear ye no
las - set das Za-gen, ver - ban-net die Kla - ge, las -
fear ye no lon-ger, for - sake la-men - ta - tion, fear
set das Za-gen, ver - ban-net die Kla - ge, las -
ye no lon-ger, for - sake la-men - ta - tion, fear
118
Kla-ge, ver - ban-net die Kla-ge, ver - ban - net die
ta-tion, for - sake la-men - ta-tion, for - sake la-men -
Za-gen, ver - ban-net die Kla-ge, ver - ban - net, ver - ban - net die
lon-ger, for - sake la-men - ta-tion, a - way, put a - way la-men -
set das Za - gen, ver - ban - net, ver - ban - net die
ye no lon - ger, a - way, put a - way la-men -
set das Za - gen, ver - ban - net die
ye no lon - ger, for - sake la-men -
+Trbe.
-Trbe.

124
Kla - - ge, las - set das Za - gen, ver - ban - net die Kla - - ge,
ta - - tion, fear ye no lon - ger, for - sake la - men - ta - - tion,
Kla - ge, las - - set das Za - gen, ver - ban - net die Kla - - ge,
ta - tion, fear ye no lon - ger, for - sake la - men - ta - - tion,
Kla - - ge, las - set das Za - gen, ver - ban - net die Kla - - ge,
ta - - tion, fear ye no lon - ger, for - sake la - men - ta - - tion,
Kla - - ge, las - set das Za - gen, ver - ban - net die Kla - - ge,
ta - - tion, fear ye no lon - ger, for - sake la - men - ta - - tion,
Trba. I
129
las - set das Za - gen, ver - ban - net die Kla - ge,
fear ye no lon - ger, for - sake la - men - ta - tion,
las - set das Za - gen, ver - ban - net die Kla - ge,
fear ye no lon - ger, for - sake la - men - ta - tion,
las - set das Za - gen, ver - ban - net die Kla - ge,
fear ye no lon - ger, for - sake la - men - ta - tion,
las - set das Za - gen, ver - ban - net die Kla - ge,
fear ye no lon - ger, for - sake la - men - ta - tion,

133
stim - met voll Jauch - - - - - zen und Fröh - lich - keit an!
sing ye with glad - - - - - ness, ex - ul - tant and gay!
stim - met voll Jauch - - - - - zen und Fröh - lich - keit an!
sing ye with glad - - - - - ness, ex - ul - tant and gay!
stim - met voll Jauch - - - - - zen und Fröh - lich - keit an!
sing ye with glad - - - - - ness, ex - ul - tant and gay!
stim - met voll Jauch - - - - - zen und Fröh - lich - keit an!
sing ye with glad - - - - - ness, ex - ul - tant and gay!
Fine
138
Die - net dem Höch - sten mit herr - li - chen
Wor - ship the Ma - ster and bow ye be -
Die - net dem Höch-sten mit herr - li - chen Chö - -
Wor - ship the Ma - ster and bow ye be - fore
Die - net dem Höch-sten mit herr - li - chen Chö - - - ren, die - net dem
Wor - ship the Ma - ster and bow ye be - fore Him, wor - ship the
Die - net dem Höch-sten mit herr - li - chen Chö - - - - -
Wor - ship the Ma - ster and bow ye be - fore
Archi
p

144
Chö - - - - - - - - - - - - - - - - - - -
fore
- - - - - - ren, mit herr-li - chen Chö - - - - - - -
Him, and bow ye be - fore
Höch - - sten, die-net dem Höch - - sten, die-net dem
Ma - - ster, wor-ship the Ma - - - ster, worship the
151
- - - - ren, mit herr-li - chen Chö-ren,
Him, and bow ye be - fore Him,
- ren, mit herr - li - chen Chö - ren, die - net dem Höch - - sten, dem
Him, and bow ye be - fore Him, wor - ship the Ma - - ster, the
Höch - sten mit herr - - li - chen Chö-ren, die - net dem Höch-sten, mit
Ma - ster and bow ye be - fore Him, wor - ship the Ma - ster and
- - - - ren, mit herr - li - chen Chö-ren, die - net dem
Him, and bow ye be - fore Him, wor - ship the
Fl.
Ob.
Archi con il coro

157
die - net dem Höch - - sten mit herr - - li - chen Chö - ren, die -
wor - ship the Ma - - ster and bow ye be - fore Him, wor -
Höch-sten, die - net dem Höch - - - - - sten, die - - net dem
Ma - ster, wor-ship the Ma - - - - - ster, wor - ship the
herr - - - - li - chen Chö - - - - - - -
bow ye be - fore
Höch - - - sten, die - net dem Höch - - - sten mit herr - - li - chen
Ma - - - ster, wor-ship the Ma - - - ster and bow ye be -
164
- net dem Höch - - - - - - - sten mit herr - li - chen Chö - ren,
- ship the Ma - - - - - - - ster and bow ye be - fore Him.
Höch - - - - - - - - sten mit herr - li - chen Chö - ren,
Ma - - - - - - - - ster and bow ye be - fore Him.
- ren, die - net dem Höch - - - - - sten mit herr - li - chen Chö - ren,
Him, wor - ship the Ma - - - - - ster and bow ye be - fore Him.
Chö - - - - - - - - - - ren, mit herr - li - chen Chö - ren,
fore Him, and bow ye be - fore Him.
Ob.
Trba. I
171
Fl.
Archi

177
Ob.
tr
Fl.
tr +Ob., Archi
183
laßt uns den Na - men des Herr - schers ver -
Come all ye Faith - ful with song to a -
laßt uns den Na - men des Herr - schers ver -
Come all ye Faith - ful with song to a -
laßt uns den Na - men des Herr - schers ver -
Come all ye Faith - ful with song to a -
laßt uns den Na - men des Herr - schers ver -
Come all ye Faith - ful with song to a -
189
eh - ren, laßt uns den Na - men des Herr - schers ver -
dore Him, come all ye Faith - ful with song to a -
eh - ren, laßt uns den Na - men des Herr - schers ver -
dore Him, come all ye Faith - ful with song to a -
eh - ren, laßt uns den Na - men des Herr - schers ver -
dore Him, come all ye Faith - ful with song to a -
eh - ren, laßt uns den Na - men des Herr - schers ver -
dore Him, come all ye Faith - ful with song to a -

193
eh - - -
dore
eh - - -
dore
eh - - -
dore
eh - - -
dore
197
- - - ren, laßt uns den Na - men des Herr - schers ver - eh - ren!
Him, come all ye Faith - ful with song to a - dore Him.
Da capo

2. Evangelista
Recitativo
Tenore
Continuo
Es be - gab sich a - ber zu der Zeit, daß ein Ge - bot von dem
And in those same days it came to pass, that there went out a de -
Kai - ser Au - gu - sto aus - ging, daß al - le Welt ge - schät - zet wür - de. Und
cree from Au - gus - tus Cae - sar, that all the world en - roll for tax - es, and
je - der - mann ging, daß er sich schät - zen lie - ße, ein jeg - li - cher in sei - ne
ev'- ry - one went, that he might be re - bor - ded, each go - ing in - to his own
Stadt. Da mach - te sich auch auf Jo - seph aus Ga - li -
ci - ty. And al - so there went up Jo - seph from Ga - li -

9
lä - a, aus der Stadt Na - za - reth, in das jü - di - sche Land zur Stadt
lee ___, up out of Na - za - reth, to the ci - ty of Da - vid, in Ju -
11
Da - vid, die da hei - ßet Beth - le - hem; dar - um, daß er von dem Hau - se und Ge -
de - a, which is cal - led Beth - le - hem, for Jo - seph was of the house and of the
13
schlech - te Da - vid war: auf daß er sich schät - zen lie - ße mit Ma -
lin - e - age of Da - vid; that there he might be en - rolled for tax with
15
ri - a, sei - nem ver - trau - ten Wei - be, die war schwan - ger. Und
Ma - ry, Ma - ry, his wed - ded wife, be - ing great with child ___ And
17
als sie da - selbst wa - ren, kam die Zeit, daß sie ge - bä - ren soll - te.
while they yet were there it came the time that she should be ___ de - li - vered.
attacca

3.
accompagnato
Alto
Nun wird mein lieb - ster Bräu - ti - gam, nun wird der Held aus Da-vids
At last, be - lo - ved Sa - viour mine, at last, Thou Child of Da-vid's
Ob. d'am.I,II
Continuo
3
Stamm zum Trost, zum Heil der Er - den ein - mal ge - bo - ren wer - den. Nun wird der
line art come, our con - so - la - tion, to com-pass man's sal - va - tion. At last is
6
Stern aus Ja - kob schei - nen, sein Strahl bricht schon her - vor. Auf,
Ja - cob's star fair shin - ing, be - hold its glo - rious ray. Up
8
Zi - on, und ver - las - se nun das Wei - nen, dein Wohl steigt hoch em - por!
Zi - on, put a-way from thee re - pi - ning, for all is well to - day.

4. Aria (Alto)

Ob. d'am I
Viol. I
Continuo
Alto
Be - rei - te dich, Zi - on, mit zärt - li - chen
Pre - pare thy-self, Zi - on, with ten - der e -
Trie - ben, den Schön - sten, den Lieb - sten bald bei dir zu sehn, den Schön - sten,
mo - tion, the Fair - est, the Dear - est to wel - come to thee, the Fair - est,
den Lieb - sten, be - rei - te dich, Zi - on, mit
the Dear - est, pre - pare thy-self, Zi - on, with

33
zärt - li - chen Trie - ben, be - rei - te dich, Zi - on, mit
ten - der e - mo - tion, pre - pare thy - self, Zi - on, with
p
39
zärt - li - chen Trie - ben, den Schön - sten, den Lieb - sten bald bei dir zu sehn, be -
ten - der e - mo - tion, the Fair - est, the Dear - est to wel - come to thee, pre -
tr
45
rei - te dich, Zi - on, mit zärt - li - chen Trie - ben, den Schön - sten, den Lieb - sten bald
pare thy - self, Zi - on, with ten - der e - mo - tion, the Fair - est, the Dear - est to
tr
tr
51
bei dir zu sehn, den Lieb - sten, den Schön - sten, be -
wel - come to thee, the Dear - est, the Fair - est, pre -
p

57
rei - te dich, Zi - on, mit zärt - li - chen Trie - ben,
pare thy - self, Zi - on, with ten - der e - mo - tion,
63
be - rei - te dich, Zi - on, mit zärt - li - chen Trie - ben, den
pre - pare thy - self, Zi - on, with ten - der e - mo - tion, the
69
Schön - sten, den Lieb - sten bald bei dir zu sehn!
Fair - est, the Dear - est to wel - come to thee.
76
83
Fine

89
Dei-ne Wan - gen müs-sen heut viel schö - ner pran - gen,
With what yearn - ing must Thy heart to - day be burn - ing,
p
95
müs-sen heut viel schö - ner pran - gen, ei - le, den Bräu - ti-gam
must Thy heart to - day be burn - ing, wel - come thy dear one with
101
sehn - lichst zu lie - ben, ei - le, ei - - - le, den Bräu - ti-gam
lov - ing de - vo - tion, wel - come, wel - - - come thy dear one with
p
107
sehn - - - - - - lichst zu lie - ben, ei - - le, den Bräu - ti - gam
lov - - - - - - ing de - vo - tion, wel - - come thy dear one with

113
sehn-lichst zu lie - ben;
lov - ing de - vo - tion;
120
dei - ne Wan - gen müs - sen heut viel schö -
with what yearn - ing must Thy heart to - day
127
ner pran -
be burn -
133
gen, ei - le, den Bräu - ti - gam sehn-lichst zu lie - ben!
ing, wel - come thy dear one with lov - ing de - vo - tion.
Da capo

5. Choral

Soprano
Alto
Tenore
Basso
Fl. I, II
Ob. I, II
Viol. I, II
Va.
Continuo
Wie soll ich dich emp - fan - gen und wie be - gegn' ich dir?
How can I fit - ly greet Thee, how right - ly Thee ex - tol,
O al - ler Welt Ver - lan - gen, o mei - ner See - len Zier!
of Man the best Be - lov - ed, Thou Trea - sure of my soul?
9
O Je - su, Je - su, set - ze mir selbst die Fak - kel bei, da -
O Lord, I pray Thee car - ry the torch to light my way, that
tr

13
mit, was dich er - göt - - ze, mir kund und wis - send sei!
I may know Thy plea - - sure and serve Thee day by day.
mit, was dich er - göt - - ze, mir kund und wis - send sei!
I may know Thy plea - - sure and serve Thee day by day.
mit, was dich er - göt - - ze, mir kund und wis - send sei!
I may know Thy plea - - sure and serve Thee day by day.
mit, was dich er - göt - - ze, mir kund und wis - send sei!
I may know Thy plea - - sure, and serve Thee day by day.
6. Evangelista
Recitativo
Tenore
Continuo
Und sie ge - bar ih - ren er - sten Sohn und wik - kel - te ihn in
And there she brought forth her first - born son and wrapped Him a - round in
3
Win - deln und leg - te ihn in ei - ne Krip - pen, denn sie
swad - dling clothes, and made His cra - dle in a man - ger, for there
hat - ten sonst kei - nen Raum in der Her - ber - ge.
was no room, was no room in the inn for them.

7. Choral (Soprano, Basso)

19 Choral
arioso

hegt?
ness,

23

daß er un - ser sich er - barm
that He know what we en - dure

27

Recitativo

Ja, wer ver - mag es ein - zu -
yea, who may un - der - stand how

30

Choral
arioso

se - hen, wie ihn der Men - schen Leid be - wegt?
sore - ly our Lord is moved by mor - tal woe?

33
und in dem Him - mel
in Hea - ven rich in
38
ma - che reich
wealth are we
II.
I.
42
Recitativo
Choral
arioso
Des Höch-sten Sohn kömmt in die Welt, weil ihm ihr Heil so wohl ge - fällt,
The High-est gave His on-ly Son, and thus for man sal-va-tion won.
45
und sei - nen lie - ben
there like the An - gels

50
Recitativo
En - geln gleich
we will be
so will er selbst als Mensch
So God be - came a man
54
Choral
arioso
Ky - ri - e - leis
ge - bo - ren wer - den.
that He might save us.
57
!
tr
62

8. Aria (Basso)

Trba. I
Fl. I
Viol. I, II
Va.
Continuo
(Fl. sempre col. Viol. I)
Trba.
Archi
Basso
Gro - ßer Herr, o star - - ker Kö - nig,
Migh - ty Lord of all Cre - a - tion,
p
lieb - ster Hei - - land, o wie we - nig ach - - - test du der Er - den
dear - est Sav - - iour, O how lit - tle car - - - est Thou for earth - ly
Pracht, der Er - - den Pracht; gro - ßer Herr, o star - ker
fame, for earth - ly fame; migh - ty Lord, of all Cre-

32
Kö - nig, lieb - ster Hei - - - land, o wie we - nig
a - tion, dear - est Sav - - - iour, O how lit - tle
Archi
Archi
Trba.
37
ach - - - test du der Er - - den Pracht, lieb - ster Hei - land,
car - - - est Thou for earth - - ly fame, dear - est Sav - iour,
Trba.
43
gro - ßer Herr, o star - - ker Kö - nig, o wie we - nig
migh - ty Lord, of all Cre - a - tion, O how lit - tle
Viol. I
48
ach - test du der Er - - den Pracht; gro - ßer Herr, o
car - est Thou for earth - - ly fame; migh - ty Lord of
Archi
Trba.

53
star - - ker Kö-nig, lieb - ster Hei - land, o wie we - nig ach -
all Cre - a - tion, dear - est Sav - iour, O how lit - tle car -
tr
tr
59
- - - - - - test du der Er - den Pracht
- - - - - - est Thou for earth-ly fame
pp
64
, der Er - den Pracht!
, for earth - ly fame!
Trba.
f
Archi
70
75
Fine

81
Der die ganze Welt erhält, die
Thou whom all men would acclaim, whom
Archi
86
gan-ze Welt, die gan-ze Welt er-hält, ih-re Pracht und
all men would, whom all men would ac-claim, Thou in Ma-jes-
91
Zier erschaf-fen, muß in har-ten Krip-pen schla-
ty the High-est, in a low-ly man-ger li-
96
fen;
est;
+Trba.
f

101
der die
Thou whom
Archi
p
106
gan - ze, die gan - ze Welt er - hält, die
all men, whom all men would ac - claim, whom
+Trba.
111
gan - ze Welt er - hält, ih - re Pracht und Zier er -
all men would ac - claim, Thou in Ma - jes - ty the
116
schaf - fen, muß in har - ten Krip - pen schla - fen.
High - est, in a low - ly man - ger li - est.
Da capo

9. Choral

Soprano
Alto
Tenore
Basso
Ach mein herz - lie - bes Je - su - lein,
Ah, Je - sus Child, my heart's de - light!
Trbe.
Trba. I, II, III
Timp.
Fl. I, II
Ob. I, II
Viol. I, II
Va.
Continuo
(Legni ed archi con il coro)
4
mach dir ein rein sanft Bet - te - lein,
make here Thy lit - tle bed this night,
zu
my
Trbe.

8
ruhn in mei - nes Her - zens Schrein, daß ich nim -
heart will be a shrine for Thee so dwell Thou
ruhn in mei - nes Her - zens Schrein, daß ich nim -
heart will be a shrine for Thee so dwell Thou
ruhn in mei - nes Her - zens Schrein, daß ich nim -
heart will be a shrine for Thee so dwell Thou
ruhn in mei - nes Her - zens Schrein, daß ich nim -
heart will be a shrine for Thee so dwell Thou
Trbe.
12
mer ver - ges - se dein!
there in peace with me.
mer ver - ges - se dein!
there in peace with me.
mer ver - ges - se dein!
there in peace with me.
mer ver - ges - se dein!
there in peace with me.
Trbe.
tr

II. Teil · Part II

Am 2. Weihnachtstag · Second Christmas Day

Und es waren Hirten in derselben Gegend
And abiding in the field in that same country

10. Sinfonia

15
Archi
Oboi
Archi
18
Oboi+Archi
21
Archi
24
27
Oboi
Archi
30
Oboi
Archi

33
Archi
Oboi
Oboi
36
Oboi + Archi
39
Oboi
Archi
42
m.s.
m.d.
Archi
45
48
Oboi
Archi
Oboi

51

Archi

Oboi

Archi

54

57

Oboi

Oboi + Archi

60

Archi

Oboi

Oboi + Archi

11. Evangelista

Recitativo

Tenore

Und es wa - ren Hir - ten in der - sel - ben Ge - gend auf dem
And a - bi - ding in the field in that same coun - try nigh to

Continuo

3

Fel - de bei den Hür - den, die hü - te - ten des Nachts ih - re Her - de. Und sie - he,
Beth - le - hem were shep-herds, who with their flock by night watch were keep - ing. And lo____,

12. Choral

Soprano

Brich an, o schö - nes Mor - gen - licht, und laß den Him - mel ta - gen!
Break forth, O beau - teous mor - ning light and fill the Heav'ns with glo - ry!
Du Hir - ten - volk, er - schrek - ke nicht, weil dir die En - gel sa - gen,
Ye shep - herds folk, re - strain your fright, and hear the An - gels' sto - ry:

Alto

Brich an, o schö - nes Mor - gen - licht, und laß den Him - mel ta - gen!
Break forth, O beau - teous mor - ning light and fill the Heav'ns with glo - ry!
Du Hir - ten - volk, er - schrek - ke nicht, weil dir die En - gel sa - gen.
Ye shep - herds folk, re - strain your fright, and hear the An - gels' sto - ry:

Tenore

Brich an —, o schö - nes Mor - gen - licht, und laß den Him - mel ta - gen!
Break forth —, O beau - teous mor - ning light and fill the Heav'ns with glo - ry!
Du Hir - ten - volk, er - schrek - ke nicht, weil dir die En - gel sa - gen.
Ye shep - herds folk, re - strain your fright, and hear the An - gels' sto - ry:

Basso

Brich an, o schö - nes Mor - gen - licht, und laß den Him - mel ta - gen!
Break forth, O beau - teous mor - ning light and fill the Heav'ns with glo - ry!
Du Hir - ten - volk, er - schrek - ke nicht, weil dir die En - gel sa - gen,
Ye shep - herds folk, re - strain your fright, and hear the An - gels' sto - ry:

Fl. I,II
Ob. d'am. I,II
Ob. da c. I,II
Viol. I,II
Va.
Continuo

9
daß die - ses schwa - che Knä - be - lein soll un - ser Trost und Freu - de sein, da -
this lit - tle child whom you will see our com - fort and our joy will be, a -
daß die - - ses schwa - che Knä - be - lein soll un - ser Trost und Freu - de sein, da -
this lit - - tle child whom you will see our com - fort and our joy will be, a -
daß die - ses schwa - che Knä - be - lein soll un - ser Trost und Freu - de sein, da -
this lit - tle child whom you will see our com - fort and our joy will be, a -
daß die - ses schwa - che Knä - be - lein soll un - ser Trost und Freu - de sein, da -
this lit - tle child whom you will see our com - fort and our joy will be, a -
13
zu den Sa - tan zwin - - gen und letzt - lich Frie - de brin - - gen!
gainst the Fiend sus - tain us, and peace at last re - gain us.
zu den Sa - tan zwin - - gen und letzt - lich Frie - de brin - - gen!
gainst the Fiend sus - tain us, and peace at last re - gain us.
zu den Sa - tan zwin - - gen und letzt - lich Frie - de brin - - gen!
gainst the Fiend sus - tain us, and peace at last re - gain us.
zu den Sa - tan zwin - - gen und letzt - lich Frie - de brin - - gen!
gainst the Fiend sus - tain us, and peace at last re - gain us.

13. Evangelista

14. Recitativo

15. Aria (Tenore)

31
eilt, das hol - de Kind zu sehn ______; fro - he
haste the love - ly child to see ______; hap - py
38
Hir - ten, eilt, ach ei - let, eh ihr euch zu lang ____ ver -
shep - herds, haste, ah, haste ye. Why the prec - ious mo - ments
44
wei - let ___, eilt, das hol - de ____ Kind zu ___ sehn, eilt ______
waste ye ___? haste the love - ly ____ child to ___ see, haste ______
50
______, eilt ______, das hol - de Kind ___ zu
______, haste ______ the love - ly child ___ to

56
sehn!
see.
62
68
Geht, die Freu - - - - - - - de heißt zu schön,
Let your joy un-boun-ded be,
73
geht, die Freu - - - - - - - - de heißt zu schön,
let your joy un-boun-ded be;
sucht die
there will

78
An - mut, die An - mut zu ge - win - nen, geht und la -
find ye, will find ye grace per - fect - ed, grace to fresh -
82
85
- bet, und la - bet
- en, to fresh - en
88
Herz und Sin - nen, und la -
hearts de - ject - ed, to fresh -

91
bet
en
95
Herz und Sin - nen;
hearts de - ject - ed,
99
geht, die Freu - de heißt zu schön,
let your joy un-boun-ded be,
104
geht, die Freu - de heißt zu schön,
let your joy un-boun-ded be;

108
sucht ___ die An - - - - - mut zu ge - win - - - - nen,
there ___ will find ___ ye grace per - fect - - - ed,
tr
112
geht und la - - - - - - - - - - - - - bet
grace to fresh - - - - - - - - - - - - - en
115
Herz und ___ Sin - nen, la - - - - -
hearts de - - - - ject - ed, fresh - - - - -
tr
118

121
- bet Herz und Sin - nen!
- en hearts de - ject - ed.
126
16. Evangelista
Recitativo
Tenore
Und das habt zum Zei - chen: Ihr wer - det fin - den das Kind in Win - deln ge -
This sign do I give you: in Beth - le - hem wrapped in swad - dling clothes ye shall
Continuo
3
wik - kelt und in ei - ner Krip - pe lie - gen.
find Him, a babe in a man - ger ly - ing.

17. Choral

5

Spei - se vor - mals sucht ein Rind, da ru - het itzt der Jung - frau'n Kind.
once the hun - gry ox - en fed the Vir - gin finds her Child a bed.

Spei - se vor - mals sucht ein Rind, da ru - het itzt der Jung - frau'n Kind.
once the hun - gry ox - en fed the Vir - gin finds her Child a bed.

Spei - se vor - mals sucht ein Rind, da ru - het itzt der Jung - frau'n Kind.
once the hun - gry ox - en fed the Vir - gin finds her Child a bed.

Spei - se vor - mals sucht ein Rind, da ru - het itzt der Jung - frau'n Kind.
once the hun - gry ox - - en fed the Vir - gin finds her Child a bed.

Ob. da c. II

18. Recitativo
Basso
Ob. d'am. I, II
Ob. d'a c. I, II
Continuo
So geht denn hin, ihr Hir - ten, geht, daß ihr das Wun - der seht: Und fin - det ihr des Höch - sten Sohn in ei - ner har - ten Krip - pe lie - gen, so sin - get ihm bei sei - ner Wie - gen aus ei - nem sü - ßen Ton und mit ge - sam - tem Chor dies Lied zur Ru - he vor.
So go ye there, ye shep - herds go this won - drous thing to know; and when you find the Son of God ly - ing in the low - ly man - ger, then sing ye all, be - side His cra - dle, with voi - ces sweet and clear a sooth - ing slum - ber song, of hope and love and cheer.

19. Aria (Alto)

Fl. I
Ob. d'am. I, II
Ob. da c. I, II
Viol. I, II
Va.
Continuo
(senza Fl.)
6
12
tr
18
23
28
Alto
Fl. I (sempre con il Alto in 8va)
Schla - - - - - - - - - - - - - - fe, mein
Sleep Thou, my
Archi + Ob. d'am. I
pp

33
Lieb - - - - - - - - ster, ge - nie - - - - - -
Dear - - - - - - - - est, and rest
39
- ße der Ruh, schla - fe, mein Lieb - ster, ge - nie - ße der Ruh,
Thee a while, sleep Thou, my Dear - est, and rest Thee a while,
45
wa - che nach die - sem vor al - ler Ge - dei - hen, schla - fe, mein Lieb - ster, ge -
wake from Thy slum - ber to bring us sal - va - tion. Sleep Thou, my Dear - est, and
51
nie - ße der Ruh, wa - che nach die - sem vor al - ler Ge - dei - hen;
rest Thee a while, wake from Thy slum - ber to bring us sal - va - tion.
tr
f Archi + Oboi
57

63
68
schla - fe, mein Lieb - ster, ge - nie - ße der Ruh,
Sleep Thou, my Dear - est, and rest Thee a while,
Archi + Ob.d'am. I
pp
73
schla - fe, mein Lieb - ster, ge - nie - ße der Ruh, wa - che nach
sleep Thou, my Dear - est, and rest Thee a while, wake from Thy
78
die - sem vor al - ler Ge - dei - hen, wa - che nach die - sem vor
slum - ber to bring us sal - va - tion, wake from Thy slum - ber to
83
tr
al - ler Ge - dei - hen; schla - fe, schla - fe, wa - che nach
bring us sal - va - tion; sleep Thou, sleep Thou, wake from Thy

89
die - sem, nach die - - - sem vor al - - - - - - -
slum - ber, Thy slum - - - ber to bring
94
- - - - ler Ge-dei - hen!
us sal-va - tion.
Archi + Oboi
f
100
106
tr
112
La - be die Brust, emp - fin - de die Lust, wo wir
Rest Thee a while, and sleep with a smile, wake to
p
Archi
Fine

117
un - ser Herz er - freu - - - - - - - - en, wo wir un - ser Herz er -
hear our ex - ul - ta - - - - - - - - tion, wake to hear our ex - ul -
Ob. d'am. I Solo
122
freu - - - - - - - - - - en; la - - - be die Brust, emp -
ta - - - - - - - - - - tion; rest Thee a while, and
Viol. II
Viol. II, Va.
127
fin - - de die Lust, wo wir un-ser Herz er - freu - - - -
sleep with a smile, and wake to our ex - ul - ta - - - - -
Viol. II, Va.
131
- en; la - - - be die Brust, emp-fin - de die Lust, wo wir
- tion; rest Thee a while, and sleep with a smile, wake to
Viol.II
Viol.II
Va.

136

un - ser Herz er - freu - - - - - - - - - - - - en; la -
hear our ex - ul ta - - - - - - - - - - - - -tion; rest ___

Archi + Ob. d'am. I

140

- be die Brust, emp - fin - de die Lust, wo wir
___ Thee a while, and sleep with a smile, wake to

144

un - ser Herz er - freu - - - - - - - - - - - - - - -
hear our ex - ul - ta - - - - - - - - - - - - - - -

148

- - - - - - - - - - - - - - - - - - - en!
- - - - - - - - - - - - - - - - - - - -tion.

Da capo

20. Evangelista

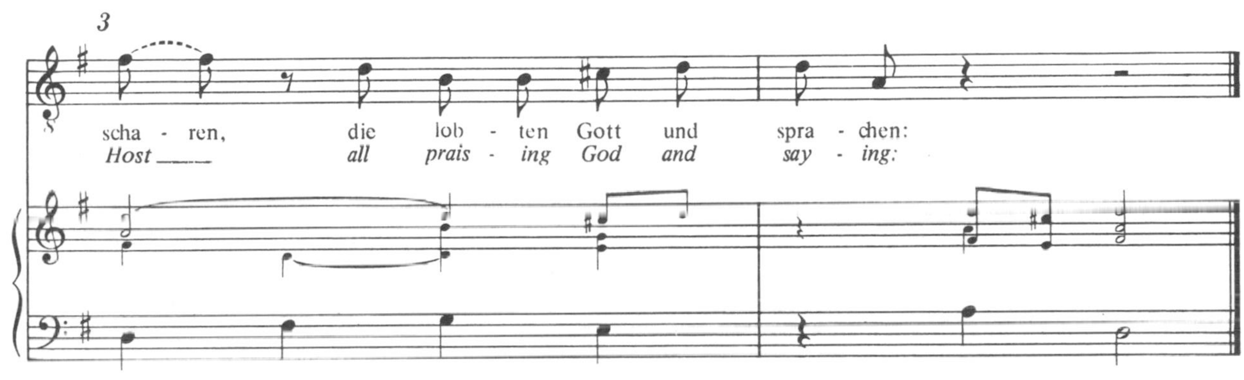

21. Chorus

*) Vivace und ₵ sind bedeutungsgleich / Vivace is the equivalent of ₵.

4

Gott, Eh - - - - - - - - - - re sei Gott in der Hö - -
God, glo - - - - - - - - - - ry to God in the High - -

- re sei Gott, Eh - - - - - - - re sei Gott in der Hö - -
- ry to God, glo - - - - - - - ry to God in the High - -

- re sei Gott, Eh - - - - - - - re sei Gott in der Hö-he, in der
- ry to God, glo - - - - - - - ry to God in the Highest, in the

- - - - - - - - - - - - - - - - - - - re sei
- - - - - - - - - - - - - - - - - - - ry to

8

- he, in der Hö - - he, Eh - - re sei
- est, in the High - - est, glo - - ry to

- - - - he, Eh - - - - - - - - - - re sei Gott,
- - - - est, glo - - - - - - - - - - ry to God,

Hö - he, in der Hö - he, Eh - - - - - - - re, Eh - -
High - est, in the High - est, glo - - - - - - - ry, glo - -

Gott in der Hö - he, Eh - - re sei Gott, Eh - - - - - - - -
God in the High - est, glo - - ry to God, glo - - - - - - - -

12

Gott, sei Gott in der Hö - - - - - - he! Eh -
God, to God in the High - - - - - - est! Glo -

Eh - re sei
glo - ry to

- re sei
- ry to

- -
- -

15

- - re sei Gott in der Hö - - - - - - - he, Eh - -
- - *ry to God in the High - - - - - - - est, glo - -*

Gott in der Hö - - - he, in der Hö - - he,
God in the High - - - est, in the High - - est,

Gott in der Hö - - - - - - he, Eh - - - - re sei
God in the High - - - - - - est, glo - - - - ry to

- - - - - - re sei Gott in der Hö - - he, in der Hö - -
- - - - - - *ry to God in the High - - est, in the High - -*

18
- re sei Gott, Eh - - - - - - - re sei Gott in der Hö -
- ry to God, glo - - - - - - - ry to God in the High -
Eh - - - - - - - - - - - re sei Gott, Eh - - -
glo - - - - - - - - - - - ry to God, glo - - -
Gott in der Hö - - he, Eh - - - - - - - - -
God in the High - - est, glo - - - - - - - - -
- he, Eh - - - - - - - re sei Gott, Eh - - - - - - - -
- est, glo - - - - - - - ry to God, glo - - - - - - - -
22
- he, in der Hö - - - - - - - - - - he, in der Hö -
- est, in the High - - - - - - - - - - est, in the High -
- - - - - re sei Gott in der Hö - - - he, in der Hö -
- - - - - ry to God in the High - - - est, in the High -
- - - - - re sei Gott in der Hö - - he, in der Hö -
- - - - - ry to God in the High - - est, in the High -
- - - - - - - - - - re sei Gott in der Hö -
- - - - - - - - - - ry to God in the High -
tr

25
p
he und Frie - - - - de auf Er - den, und Frie - - - de auf
est and peace be to all men, and peace be to
he und Frie - - - - de auf Er - den, und Frie - - - de auf
est and peace be to all men, and peace be to
he und Frie - - - - de auf Er-den, Frie - - - - de auf
est and peace be to all men, peace be to
he und Frie - de auf Er - den, und Frie - de auf
est and peace be to all men, and peace be to
Archi, Fl.
Oboi
29
Er-den, Frie - - - - - de auf Er-den und den Men - schen ein
all men, peace be to all men, and on earth peace, good
Er - den, und Frie - - - de auf Er - den, und den
all men, and peace be to all men, and on
Er - den, und Frie - - - de auf Er - den,
all men, and peace be to all men,
Er - den, und Frie - de auf Er - den,
all men, and peace be to all men,
(Archi e Fl. con il coro)
f
Oboi

32
Wohl - ge - fal - - - len, ein Wohl - ge - fal - - - - - -
will to all men, good will to all
Men - schen ein Wohl - ge - fal - - - - len, ein Wohl-ge - fal - - - - -
earth peace, good will to all men, good will to all
f
und den Men - schen ein Wohl - ge - fal - -
and on earth peace, good will to all
f
und den Men - schen ein Wohl - ge -
and on earth peace, good will to
tr
35
len,
men,
und den
and on
- len, und den Men - schen ein Wohl - ge - fal - - - - - - - - - - -
men, and on earth peace, good will to all
- - - len, und den Men - schen ein Wohl - ge - fal - - - - - -
men, and on earth peace, good will to all
fal - - - - - - - - - - - - - - len, und den Men - schen ein
all men, and on earth peace, good

38
Men - schen ein Wohl - ge - fal - - - - - - - - - - - - - -
earth peace, good will to all
- - - - - - - len, und den Men - schen ein Wohl - ge -
men, and on earth peace, good will to
- len, ein Wohl - ge - fal - len, und den Men - schen ein Wohl - ge - fal - - -
men, good will to all men, and on earth peace, good will to all
Wohl - - ge - fal - - - - - len,
will to all men,
41
- - - - - - - - - - - - - - len, und den Men - schen ein
men, and on earth peace, good
fal - - - - - - - - - - - len, den Men - schen ein Wohl - ge -
all men, on earth peace, good will to
- - - - - - - - - - - - - len, den Men - schen ein
men, on earth peace, good
und den Men - schen ein Wohl - ge -
and on earth peace, good will to

44
Wohl - ge - fal - - - - - - - len, und den
will to all men, and on
fal - - - - - - - - - - - - len, und den Men - schen ein
all men, and on earth peace, good
Wohl - ge - fal - - - - - - - - - - - len, ein Wohl -
will to all men, good will
fal - - len, und den Men - schen ein Wohl - ge - fal - - - - - -
all men, and on earth peace, good will to all
47
Men - schen ein Wohl - ge - fal - - - - - - - len.
earth peace, good will to all men.
Wohl - ge - fal - - - - - - - len. Eh - - - - re sei
will to all men. Glo - - - - ry to
- - ge - fal - - - - - - - - len. Eh -
to all men. Glo -
- - - - len, den Men - schen ein Wohl - ge - fal - len.
men, on earth peace, good will to all men.
Oboi + Fl. II
Archi + Fl. I
sim.

50
Eh - - - re sei Gott, Eh - re sei Gott, Eh - - - - - - -
Glo - - - ry to God, glo - ry to God, glo - - - - - - -
Gott, Eh - - -
God, glo - - -
- re sei Gott, Eh - - - - - - re sei Gott, Eh - - re, Eh - - -
- ry to God, glo - - - - - - ry to God, glo - - ry, glo - - -
Eh - - - re sei Gott, Eh -
Glo - - - ry to God, glo -
54
- - - re sei Gott in der Hö - - - - - - he und Frie -
- - - ry to God in the High - - - - - - est and peace
- - - re sei Gott in der Hö - he, in der Hö - he und Frie -
- - - ry to God in the High - est, in the High - est and peace
- - - re sei Gott in der Hö - he, in der Hö - he und Frie -
- - - ry to God in the High - est, in the High - est and peace
- re sei Gott in der Hö - he
- ry to God in the High - est
Archi + Fl.
Oboi
p

58
de auf Er-den, Frie - de auf Er-den und den
be to all men, peace be to all men, and on
de auf Er - den, auf Er - den, Frie - de auf Er - den und den Men - schen ein
be to all men, to all men, peace be to all men, and on earth peace, good
de auf Er - den, und Frie - de auf Er - den und den
be to all men, and peace be to all men, and on
p
und Frie - de auf Er - den, Frie - de auf Er - den
and peace be to all men, peace be to all men
Tutti
f
62
Men - schen ein Wohl - ge - fal - len.
earth peace, good will to all men.
Wohl - ge - fal - len.
will to all men.
Men - schen ein Wohl - ge - fal - len.
earth peace, good will to all men.
und den Men - schen ein Wohl - ge - fal - len.
and on earth peace, good will to all men.

22. Recitativo
Basso
So recht, ihr En-gel, jauchzt und sin-get, daß es uns heut so schön ge-lin-get!
'Tis well, ye An-gels, joy-ful sing —, to-day is born our Lord and King.
Continuo
4
Auf denn! Wir stim-men mit euch ein, uns kann es so wie euch er-freun.
Sing then! and each one raise his voice and with the An-gels all re-joice.
23. Choral
Soprano
Wir sin-gen dir in dei-nem Heer
In cho-rus now to Thee we raise
Alto
Wir sin-gen dir in dei-nem Heer
In cho-rus now to Thee we raise
Tenore
Wir sin-gen dir in dei-nem Heer
In cho-rus now to Thee we raise
Basso
Wir sin-gen dir in dei-nem Heer
In cho-rus now to Thee we raise
Fl. I, II
Ob. d'am. I, II
Ob. da c. I, II
Viol. I, II
Va.
Continuo
Archi
Legni

3

aus al - ler Kraft Lob, Preis und
with migh - ty voice our songs of

aus al - ler Kraft Lob, Preis und
with migh - ty voice our songs of

aus al - ler Kraft Lob, Preis und
with migh - ty voice our songs of

aus al - ler Kraft Lob, Preis und
with migh - ty voice our songs of

Archi

6

Ehr, daß du, o lang ge -
praise that Thou our long a -

Ehr, daß du, o lang ge -
praise that Thou our long a -

Ehr, daß du, o lang ge -
praise that Thou our long a -

Ehr, daß du, o lang ge -
praise that Thou our long a -

Legni Archi

9
wünsch - ter Gast,
wait - ed Guest
dich nun - mehr
hast come at
wünsch - ter Gast,
wait - ed Guest
dich nun - mehr
hast come at
wünsch - ter Gast,
wait - ed Guest
dich nun - mehr
hast come at
wünsch - ter Gast,
wait - ed Guest
dich nun - mehr
hast come at
Legni
Archi
12
ein - ge - stel - let hast.
last, be - loved and blest.
ein - ge - stel - let hast.
last, be - loved and blest.
ein - ge - stel - let hast.
last, be - loved and blest.
ein - ge - stel - let hast.
last, be - loved and blest.
Legni

III. Teil · Part III

Am 3. Weihnachtstag · Third Christmas Day

Herrscher des Himmels, erhöre das Lallen
Ruler of Heaven, tho' weak be our voices

20
Laß dir die mat-ten Ge-sän-ge ge-fal-
Each, in his heart, for Thy glo-ry re-joi-
Wenn dich dein
So let our
Lal-len, er-hö-
voi-ces, tho' weak
Ob.
Viol.
26
Zi-on mit Psal-men er-höht
mu-sic be sweet to Thine ears
-re das
be our

32
- len, Herr - scher des Him - mels, er - hö - re das Lal - len, laß dir die
- ces, Ru - ler of Hea - ven, tho' weak be our voi - ces, each in his
; Herr - scher des Him - mels, er - hö - re das Lal - len, laß dir die
. Ru - ler of Hea - ven, tho' weak be our voi - ces, each in his
Lal - len, Herr - scher des Him - mels, er - hö - re das Lal - len, laß dir die
voi - ces, Ru - ler of Hea - ven, tho' weak be our voi - ces, each in his
Herr - scher des Him - mels, er - hö - re das Lal - len, laß dir die
Ru - ler of Hea - ven, tho' weak be our voi - ces, each in his
Fl.
Tutti
38
mat - ten Ge - sän - ge ge - fal - len, wenn dich dein Zi - on mit
heart, for Thy glo - ry re - joi - ces, so let our mu - sic be

43
Psal - men er - höht, mit Psal - - men er - höht!
sweet to Thine ears, be sweet to Thine ears.
Psal - men er - höht, mit Psal - - - - - men er - höht!
sweet to Thine ears, be sweet to Thine ears.
Psal - men er - höht, mit Psal - - men er - höht!
sweet to Thine ears, be sweet to Thine ears.
Psal - men er - höht, mit Psal - - men er - höht!
sweet to Thine ears, be sweet to Thine ears.
Trba. I
Fl.
Tutti
49
55
tr
60
Fl.
Viol.
Tutti

65
wenn wir dir it - zo die
glo - ries to wel - come our
Hö - re der Her - zen froh - lok - ken - des Prei -
Zi - on re - sound - ing with gay ju - bi - la -
Fl.
Ob.
71
Ehr - furcht er - wei -
pro - mised sal - va -
weil uns - re Wohl - fahrt be - fe -
fixed and un - chang - ing thru in -
sen, der Her - zen froh - lok -
tion, re - sound - ing with gay
Viol.

78
- - - - - - - - sen, hö - re der Her - zen froh - lok - ken - des
- - - - - - - - tion, Zi - on re - sound - ing with gay ju - bi -
- - - - - - - sti - get steht; hö - re der Her - zen froh - lok - ken - des
- - - - - - - fi - nite years. Zi - on re - sound - ing with gay ju - bi -
- ken - des Prei - - - sen, hö - re der Her - zen froh - lok - ken - des
ju - bi - la - - - tion, Zi - on re - sound - ing with gay ju - bi -
Hö - re der Her - zen froh - lok - ken - des
Zi - on re - sound - ing with gay ju - bi -
Fl.
84
Prei - sen, wenn wir dir it - zo die Ehr - furcht er - wei - sen, weil uns - re
la - tion glo - ries to wel - come our pro - mised sal - va - tion, fixed and un -
Prei - sen, wenn wir dir it - zo die Ehr - furcht er - wei - sen, weil uns - re
la - tion glo - ries to wel - come our pro - mised sal - va - tion, fixed and un -
Prei - sen, wenn wir dir it - zo die Ehr - furcht er - wei - sen, weil uns - re
la - tion glo - ries to wel - come our pro - mised sal - va - tion, fixed and un -
Prei - sen, wenn wir dir it - zo die Ehr - furcht er - wei - sen, weil uns - re
la - tion glo - ries to wel - come our pro - mised sal - va - tion, fixed and un -

90
Wohl - fahrt be - fe - sti - get steht, be - fe - - - - sti - get steht!
chang - ing thru in - fi - nite years, thru in - - - - fi - nite years.
Wohl - fahrt be - fe - sti - get steht, be - fe - - - sti - get steht!
chang - ing thru in - fi - nite years, thru in - - - fi - nite years.
Wohl - fahrt be - fe - sti - get steht, be - fe - - - sti - get steht!
chang - ing thru in - fi - nite years, thru in - - - fi - nite years.
Wohl - fahrt be - fe - sti - get steht, be - fe - - - sti - get steht!
chang - ing thru in - fi - nite years, thru in - - - fi - nite years.
Fl.
Viol.
25. Evangelista
Recitativo
Tenore
Continuo
Und da die En - gel von ih - nen gen Him - mel
And as the An - gels were gone in - to Hea - ven
3
fuh - ren, spra - chen die Hir - ten un - ter - ein - an - der:
from them, then did the shep - herds say to each oth - er:
attacca

26. Chorus

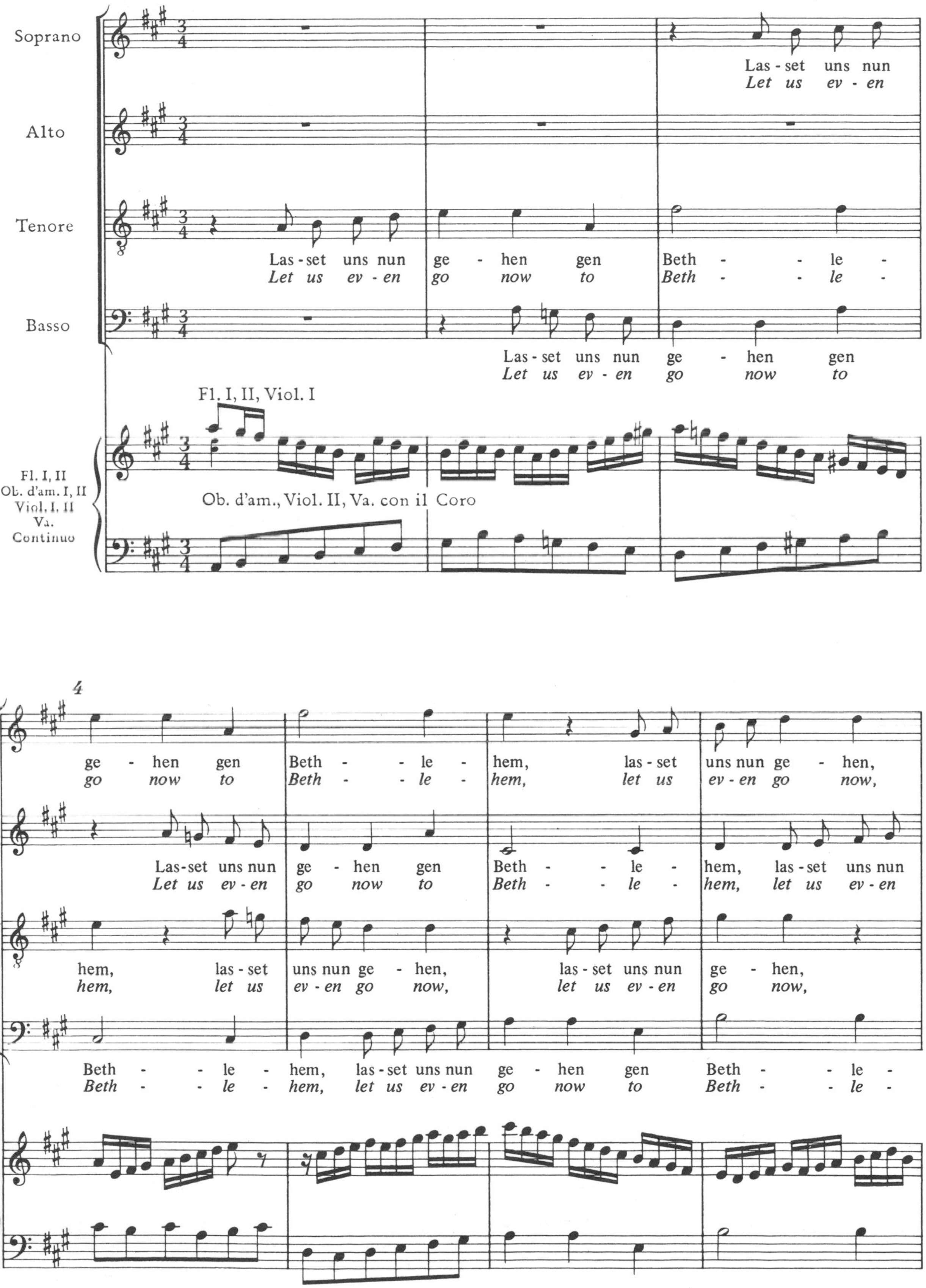
Soprano
Alto
Tenore
Basso
Fl. I, II, Viol. I
Ob. d'am., Viol. II, Va. con il Coro
Fl. I, II
Ob. d'am. I, II
Viol. I, II
Va.
Continuo
Las - set uns nun
Let us ev - en
Las - set uns nun ge - hen gen Beth - - le -
Let us ev - en go now to Beth - - le -
Las - set uns nun ge - hen gen
Let us ev - en go now to
4
ge - hen gen Beth - - le - hem, las - set uns nun ge - hen,
go now to Beth - - le - hem, let us ev - en go now,
Las - set uns nun ge - hen gen Beth - - le - hem, las - set uns nun
Let us ev - en go now to Beth - - le - hem, let us ev - en
hem, las - set uns nun ge - hen, las - set uns nun ge - hen,
hem, let us ev - en go now, let us ev - en go now,
Beth - - le - hem, las - set uns nun ge - hen gen Beth - - le -
Beth - - le - hem, let us ev - en go now to Beth - - le -

8
las - set uns nun ge - hen, las - set uns nun ge - hen gen Beth -
let us ev - en go now, let us ev - en go now to Beth -
ge - hen gen Beth - - le - hem, gen Beth - - le - hem,
go now to Beth - - le - hem, to Beth - - le - hem,
las - set uns nun ge - hen gen Beth - le - hem, gen Beth - le - hem,
let us ev - en go now to Beth - le - hem, to Beth - le - hem,
hem, las - set uns nun ge - hen, las - set uns nun ge - hen,
hem, let us ev - en go now, let us ev - en go now,
12
- - le - hem, gen Beth - le - hem, gen Beth - le - hem und die
- - le - hem, to Beth - le - hem, to Beth - le - hem that we
las - set uns nun ge - hen gen Beth - le - hem und die Ge -
let us ev - en go now to Beth - le - hem that we may
las - set uns nun ge - hen gen Beth - - le - hem und die
let us ev - en go now to Beth - - le - hem that we
las - set uns nun ge - hen gen Beth - - le - hem und
let us ev - en go now to Beth - - le - hem that

16
Ge-schich - te se - hen, die da ge - sche - - - - hen ist, die Ge-
our-selves may wit - ness, that which has come to pass, that our-
schich - te se - hen, und die Ge-schich - te se - hen, die da ge-
wit - ness this thing, that we our-selves may wit - ness, that which has
Ge-schich - te se - hen, die Ge - schich - te, und die
our-selves may wit - ness, that we wit - ness, that we
die Ge-schich-te se-hen, las-set uns nun ge - hen gen Beth-le-hem
we our-selves may wit-ness, let us ev-en go now to Beth-le-hem
20
schich - te se - - - hen, die da ge - sche - - hen ist, die
selves we wit - - - ness, that which has come to pass, which
sche - - - - - hen ist, die uns der Herr, der
come to pass, which here the Lord, the
Ge-schich - - te se - hen, die da, die
may wit - - ness this thing that which, that
und die Ge - schich -
that we may wit -

23
uns der Herr kund - ge - tan hat, die uns der
here the Lord made known un - - to us, which here the
Herr kund - ge - tan hat, die uns der Herr kund - ge - tan
Lord made known to us, which here the Lord made known to
da ge - sche - hen ist, die uns der Herr kund - - ge - tan
which has come to pass, which here the Lord God, the Lord
- te se - hen, die da ge - sche - hen ist, die uns der Herr
- ness this thing that which has come to pass, which here the Lord
26
27. Recitativo
Herr, der Herr kund - ge - tan hat.
Lord, the Lord made known un - to us.
hat, die uns der Herr kund - ge - tan hat.
us, which here the Lord made known un - - to us.
hat, die uns der Herr kund - ge - tan hat.
God, which here the Lord made known to us.
Basso
—, der Herr kund - ge - tan hat. Er hat sein Volk ge -
—, the Lord made known to us. Re - deem - er of His
Fl. I
Fl. II

tröst', er hat sein I - sra - el er - löst, die Hülf aus Zi - on her - ge -
folk, from Is - ra - el He lifts the yoke, from Zi - on sends to us re -
4
sen - det und un - ser Leid ge - en - det. Seht, Hir - ten,
lief, to end our woe and grief. Ye shep - herds,
6
dies hat er ge - tan; geht, die - ses trefft ihr an!
make haste ev' - ry one. See! what your God has done.
28. Choral
Soprano
Alto
Tenore
Basso
Dies hat er al - les uns ge - tan, sein groß Lieb zu
That God has blessed His peo - ple thus, shows His migh - ty
Dies hat er al - les uns ge - tan, sein groß Lieb zu
That God has blessed His peo - ple thus, shows His migh - ty
Dies hat er al - les uns ge - tan, sein groß Lieb zu
That God has blessed His peo - ple thus, shows His migh - ty
Dies hat er al - les uns ge - tan, sein groß Lieb zu
That God has blessed His peo - ple thus, shows His. migh - ty
Fl. I, II
Ob. I, II
Viol. I, II
Va.
Continuo

4
zei - gen an; des freu sich al - le Chri - sten - heit und
love for us. All Chri - sten - dom must thus a - dore, and
zei - gen an; des freu sich al - le Chri - sten-heit und
love for us. All Chri - sten-dom must thus a - dore, and
zei - gen an; des freu sich al - le Chri - sten - heit und
love for us. All Chri - sten - dom must thus a - dore, and
zei - gen an; des freu sich al - le Chri - sten - heit und
love for us. All Chri - sten - dom must thus a - dore, and
7
dank ihm des in E - wig - keit. Ky - rie - leis!
joy - ous thank Him ev - er - more. Ky - rie - leis!
dank ihm des in E - wig - keit. Ky - rie - leis!
joy - ous thank Him ev - er - more. Ky - rie - leis!
dank ihm des in E - wig - keit. Ky - rie - leis!
joy - ous thank Him ev - er - more. Ky - rie - leis!
dank ihm des in E - wig - keit. Ky - rie - e - leis!
joy - ous thank Him ev - er - more. Ky - rie - e - leis!

29. Aria Duetto (Soprano, Basso)
Ob. d'am. I
Ob. d'am. I, II
Continuo
Ob. d'am. II
6
II.
11
I.
I.
II.
16
Soprano
Herr ___, dein Mit - leid, dein ___ Er - bar - men,
Lord ___, Thy mer - cy, Thy ___ com - pas - sion,
Basso
Herr ___, dein Mit - leid,
Lord ___, Thy mer - cy,
p
p

21
Herr, dein Mit - leid, dein Er - bar - men trö - stet uns___ und macht uns
Lord, Thy mer - cy, Thy com - pas - sion com - fort us___ and make us
Herr, dein Mit - leid, dein Er - bar - men trö - stet uns___ und macht uns
Lord, Thy mer - cy, Thy com - pas - sion com - fort us___ and make us
26
frei___, trö - stet uns und macht uns frei;
free___, com - fort us and make us free.
frei, trö - stet uns und macht uns frei___;
free, com - fort us and make us free___.
31
Herr, dein Mit - leid, dein Er - bar - men trö -
Lord, Thy mer - cy, Thy com - pas - sion com -
Herr, dein Mit - leid, dein Er - bar - men trö - - - - stet
Lord, Thy mer - cy, Thy com - pas - sion com - - - - fort

36
- - - stet
- - - fort
uns und macht uns
us and make us
frei ,
free ,
trö - stet uns und
com - fort us and
uns und macht uns frei,
us and make us free,
dein Er - bar - men,
Thy com - pas - sion
trö - stet uns und
com - fort us and
II.
I.
I.
II.
40
macht uns frei, und macht uns frei;
make us free, and make us free.
macht uns frei, und macht uns frei;
make us free, and make us free.
f
II.
I.
I.
II.
f
46
51
II.
I.
I.
II.

56
Herr, dein Mit - leid, dein Er -
Lord, Thy mer - cy, Thy com -
Herr, dein Mit - leid, dein Er -
Lord, Thy mer - cy, Thy com -
p
tr
61
bar - men, Herr, dein Mit - leid, dein Er - bar - men, Er -
pas - sion, Lord, Thy mer - cy, Thy com - pas - sion, com -
bar - men, Herr, dein Mit - leid, dein Er -
pas - sion, Lord, Thy mer - cy, Thy com -
66
tr
bar - - - men trö - stet uns und macht uns frei,
pas - - - sion com - fort us and make us free,
bar - - - men trö - stet uns und macht uns frei,
pas - - - sion com - fort us and make us free,

71
trö - stet uns und macht uns frei, trö - stet uns und macht uns frei
com - fort us and make us free, com - fort us and make us free
trö - stet uns und macht uns frei, trö - stet
com - fort us and make us free, com - fort
76
Herr, dein Mit - leid trö -
Lord, Thy mer - cy com -
uns und macht uns frei, trö - stet uns und macht uns frei, dein Er -
us and make us free, com - fort us and make us free, Thy com -
81
stet uns und macht uns frei, dein Er - bar - men trö -
fort us and make us free, Thy com - pas - sion com -
bar - men trö - stet uns und macht uns frei; Herr, dein
pas - sion com - fort us and make us free; Lord, Thy

85
- stet uns und macht uns frei; Herr, dein Mit - leid, dein Er - bar - men
- fort us and make us free; Lord, Thy mer - cy, Thy com - pas - sion,
Mit - leid, dein Er - bar - men, dein Er - bar - men trö -
mer - cy, Thy com - pas - sion, Thy com - pas - sion, com -
90
trö - - - stet uns und macht uns frei,
com - - - fort us and make us free,
- - stet uns und macht uns frei, dein Er - bar - men
- - fort us and make us free, Thy com - pas - sion
II.
I.
I.
II.
94
trö - stet uns und macht uns frei, und macht uns frei, und macht uns
com - fort us and make us free, and make us free, and make us
trö - stet uns und macht uns frei, und macht uns frei, und macht uns
com - fort us and make us free, and make us free, and make us

98
frei.
free.
frei.
free.
f
104
tr
II.
tr
I.
110
I.
II.
tr
tr
Fine
115
Dei - ne
All — Thy
hol - de
kind - ness,
Gunst und
all Thy
tr
Dei - ne
All — Thy
hol - de
kind - ness,
Gunst und
all Thy
Lie - be,
fa - vors,
dei - ne
Thy re -
p

120
Lie - be, dei - ne wun - der - sa - men Trie - be
fa - vors, Thy re - gard which ne - ver wa - vers,
wun - der - sa - men Trie - be ma - chen dei - - - -
gard which ne - ver wa - vers, bind us fast
125
ma - chen dei - - - - ne Va - ter - treu
bind us fast and firm to Thee
- ne Va - ter - treu wie - der neu,
and firm to Thee, firm to Thee,
130
wie - der neu, dei - ne Va - ter - treu wie - der neu;
firm to Thee, fast and firm to Thee, firm to Thee;
dei - ne Va - ter - treu wie - der neu;
fast and firm to Thee, firm to Thee;
f

136
f
141
dei - ne hol - de Gunst und Lie - be,
all Thy kind - ness, all Thy fa - vors,
p
146
dei - ne hol - de Gunst und Lie - be,
all Thy kind - ness, all Thy fa - - vors,
151
dei - ne wun - der - sa - men Trie - be ma - chen
Thy re - gard which ne - ver wa - vers, bind us

156
dei - ne Va - ter - treu
fast and firm to Thee
dei - ne Va - ter - treu, dei - ne Va - ter - treu
fast and firm to Thee, fast and firm to Thee
161
, dei - ne Va - ter - treu wie - der neu, wie - der neu.
, fast and firm to Thee, firm to Thee, firm to Thee.
, dei - ne Va - ter - treu wie - der neu.
, fast and firm to Thee, firm to Thee.
Da capo
30. Evangelista
Recitativo
Tenore
Continuo
Und sie ka - men ei - lend und fun - den bei - de, Ma - ri - am und Jo - seph,
And the shep - herds has - tened, and found there Ma - ry, the moth - er, and Jo - seph,
3
da - zu das Kind in der Krip - pe lie - gen. Da sie es
and found the babe in a man - ger ly - ing. And af - ter

5
a - ber ge - se - hen hat - ten, brei - te - ten sie das Wort aus, wel - ches zu
they them - selves had seen it, they re - por - ted the say - ing which had been
7
ih - nen von die - sem Kind ge - sa - get war. Und
told un - to them con - cern - ing this same child. And
9
vor
al - le, für die es kam, wun - der - ten sich der Re - de, die
all men, who heard these things, lis - tened to them in won - der, in
11
ih - nen die Hir - ten ge - sa - get hat - ten. Ma - ri - a a - ber be -
won - der to all that the shep - herds told them; but Ma - ry kept to her -
13
hielt al - le die - se Wor - te und be - weg - te sie in ih - rem Her - zen.
self all the things that hap - pened and she pon - dered them in here heart_.

31. Aria (Alto)

Viol. solo
Continuo
7
13
19
24
Alto
Schlie - ße, mein Her - ze, dies se - li - ge Wun - der
Hold thou for - ev - er this bles - sing in won - der
p

29
fest in dei - nem Glau - ben ein, fest in dei - nem
make it tru - ly part of thee, make it tru - ly
35
Glau - ben ein; schlie - ße, mein Her - ze, dies se - li - ge
part of thee, hold thou for - ev - er this bles - sing in
40
Wun - der fest in dei - nem Glau - ben, in dei - nem Glau - ben ein;
won - der make it tru - ly part of, it tru - ly part of thee,
45
schlie - ße, mein Her - ze, dies se - li - ge Wun - der fest in dei - nem
hold thou for - ev - er this bles - sing in won - der make it tru - ly

50
Glau-ben ein, fest in dei-nem Glau - - ben, fest in dei-nem
part of thee, make it tru-ly part of, make it tru-ly
56
Glau-ben, in dei-nem Glau-ben ein, fest in dei-nem Glau - ben ein!
part of, it tru-ly part of thee, make it tru-ly part of thee.
62
68
73
Las-se dies Wun-der, die gött-li - chen Wer - ke im-mer zur
Let thou this mar-vel ex alt thee and mould thee, ev-er up-

78
Stär - - ke dei - nes schwa - chen Glau - bens sein;
hold thee firm and fast in faith to be,
83
las - se dies Wun - der, die gött - li - chen Wer - ke im - mer zur
let thou this mar - vel ex alt thee and mould thee, ev - er up -
88
Stär - ke dei - nes schwa - - chen Glau - bens sein,
hold thee firm and fast in faith to be,
93
im - mer zur Stär - ke dei - nes schwa - chen Glau - bens sein!
ev - er up - hold thee firm and fast in faith to be.
tr

99
Schlie - ße, mein Her - ze, dies
Hold thou for - ev - er this
f
p
105
se - li - ge Wun - der fest in dei - nem Glau - ben, in dei - nem Glau - ben
bles - sing in won - der make it tru - ly part of, it tru - ly part of
110
ein, fest in dei - nem Glau - ben, in dei - nem Glau - ben ein;
thee, make it tru - ly part of, it tru - ly part of thee,
115
schlie - ße, mein Her - ze, dies se - li - ge Wun - der fest in dei - nem
hold thou for - ev - er this bles - sing in won - der make it tru - ly

120
Glau - ben ein, fest in dei - nem Glau - - - ben, in
part of thee, make it tru - ly part of, it
125
dei - nem Glau - ben ein, fest in dei - nem Glau -
tru - ly part of thee, make it tru - ly part
130
- ben ein, fest in dei - nem Glau - ben ein!
of thee, make it tru - ly part of thee!
tr
f
135
141

32. Recitativo

33. Choral

5
hier, dir will ich ab - fah - ren, mit dir will ich end - lich schwe - ben
die, die with faith un - swer - ving. Then my soul, to Hea - ven soar -- ing,
hier, dir will ich ab - fah - ren, mit dir will ich end - lich schwe - ben
die, die with faith un - swer - ving. Then my soul, to Hea - ven soar - - ing,
hier, dir will ich ab - fah - ren, mit dir will ich end - lich schwe - ben
die, die with faith un - swer - ving. Then my soul, to Hea - ven soar - ing.
hier, dir will ich ab - fah - ren, mit dir will ich end - lich schwe - ben
die, die with faith un - swer - ving. Then my soul, to Hea - ven soar - ing,
10
vol - ler Freud oh - ne Zeit dort im an - dern Le - - ben.
soon will rise thru the skies joy - ous and a - dor - - ing.
vol - ler Freud oh - ne Zeit dort im an - dern Le - - ben.
soon will rise thru the skies joy - ous and a - dor - - ing.
vol - ler Freud oh - ne Zeit dort im an - dern Le - - ben.
soon will rise thru the slies joy - ous and a - dor - - ing.
vol - ler Freud oh - ne Zeit dort im an - dern Le - - ben.
soon will rise thru the skies joy - ous and a - dor - - ing.

34. Evangelista
Recitativo
Tenore
Continuo
Und die Hir - ten kehr - ten wie - der um, prei - se - ten und lob - ten
To their flocks the shep - herds then re - turned, prai - sing and glo - ri - fy - ing
Gott um al - les, das sie ge - se - hen und ge - hö - ret hat - ten, wie
God for all the won - der - ful things that they had heard and wit - nessed, as
denn zu ih - nen ge - sa - get war.
it was told, yea was told to them.
35. Choral
Soprano
Alto
Tenore
Basso
Seid froh die - weil, seid froh die - weil, daß eu - er Heil ist
Re - joice and sing, re - joice and sing, your heav'n - ly King as
Fl. I, II
Ob. I, II
Viol. I, II
Va.
Continuo

Chorus I ab initio repetatur et claudatur

IV. Teil · Part IV

Am Fest der Beschneidung Christi · Feast of the Circumcision

Fallt mit Danken, fallt mit Loben
Bow ye, thankful, kneel and praise ye

36. Chorus

30
Dan - - - - ken, fallt mit Lo - - - ben, fallt mit
thank - - - - ful, kneel and praise ye, bow ye,
Dan - - - - ken, fallt mit Lo - - - ben, fallt mit
thank - - - - ful, kneel and praise ye, bow ye,
fallt mit Dan - - ken, fallt mit Lo - - ben, fallt mit
bow ye, thank - - ful, kneel and praise ye, bow ye,
Ob.
Cor.
Ob.
Cor.
Archi
Cor.
38
Dan - ken, fallt mit Lo-ben vor des Höch - sten Gna - den - thron;
thank - ful, kneel and praise ye, kneel be - fore the Fa - ther's throne;
Dan - ken, fallt mit Lo-ben vor des Höch - sten Gna - den - thron;
thank - ful, kneel and praise ye, kneel be - fore the Fa - ther's throne;
Dan - ken, fallt mit Lo-ben vor des Höch - sten Gna - den - thron;
thank - ful, kneel and praise ye, kneel be - fore the Fa - ther's throne;
ken, fallt mit Lo-ben vor des Höch - sten Gna - den - thron;
ful, kneel and praise ye, kneel be - fore the Fa - ther's throne;
Tutti

45
fallt mit Dan - ken, fallt mit Lo - ben, fallt mit
bow ye, thank - ful, kneel and praise ye, kneel and
fallt mit Dan - ken, fallt mit Lo - ben __, fallt mit
bow ye, thank - ful, kneel and praise ye __, kneel and
fallt mit Lo - ben, fallt mit Dan - ken, fallt mit
kneel and praise ye, bow ye, thank - ful, kneel and
fallt mit Lo - ben, fallt mit Dan - ken, fallt mit
kneel and praise ye, bow ye, thank - ful, kneel and
Ob.
Archi
Cor.
Tutti
Cor.
Tutti
52
Lo - ben __ vor des Höch - sten Gna - - - - - - - -
praise ye __, kneel be - fore the Fa - - - - - - - -
Lo - ben vor des Höch - sten Gna - - - - - - - -
praise ye, kneel be - fore the Fa - - - - - - - -
Lo - ben __ vor des Höch - - sten Gna - - - - - -
praise ye __, kneel be - fore ______ the Fa - - - - - -
Lo - ben, fallt mit Dan - ken, fallt mit Lo - ben vor des Höch - sten
praise ye, bow ye, thank - ful, kneel and praise ye, kneel be - fore __ the
Cor.

59
- den thron, fallt mit Dan - ken, fallt mit Lo - ben, fallt mit
- ther's throne, bow ye, thank - ful, kneel and praise ye, bow ye,
- den - thron, fallt mit Dan - ken, fallt mit Lo - ben, fallt mit
- ther's throne, bow ye, thank-ful, kneel and praise ye, bow ye,
- den - thron, fallt mit Dan - ken, fallt mit Lo -
- ther's throne, bow ye, thank - ful, kneel and praise
Gna - den - thron, fallt mit Dan - ken, fallt mit Lo - ben,
Fa - ther's throne, bow ye, thank - ful, kneel and praise ye,
tr
Archi
66
Dan - ken, fallt mit Lo - ben, fallt mit
thank - ful, kneel and praise ye, bow ye,
Dan - ken, fallt mit Lo - ben, fallt mit
thank - ful, kneel and praise ye, bow ye,
ben, fallt mit
ye, bow ye,
fallt mit Dan - ken, fallt mit Lo - ben, fallt mit
bow ye, thank - ful, kneel and praise ye, bow ye,
Ob.
Cor.
Ob.
Cor.
Tutti

74
Dan - ken, fallt mit Lo - ben vor des Höch - sten Gna - den - thron!
thank - ful, kneel and praise ye, kneel be - fore the Fa - ther's throne'
Dan - ken, fallt mit Lo - ben vor des Höch - sten Gna - den - thron!
thank - ful, kneel and praise ye, kneel be - fore the Fa - ther's throne.
Dan - ken, fallt mit Lo - ben vor des Höch - sten Gna - den - thron!
thank - ful, kneel and praise ye, kneel be - fore the Fa - ther's throne.
Dan - ken, fallt mit Lo - ben vor des Höch - sten Gna - den - thron!
thank - ful, kneel and praise ye, kneel be - fore the Fa - ther's throne.
81
Ob.
Archi
Tutti
Cor.
87
Tutti
Cor.
Ob.
92
–Ob., Cor.

97
Got - - tes Sohn will der Er - den Hei - land und Er -
Christ the Lord came to save you, God for Him your
Got - - tes Sohn will der Er - den Hei - land und Er -
Christ the Lord came to save you, God for Him your
Got - - tes Sohn will der Er - den Hei - land und Er -
Christ the Lord came to save you, God for Him your
Got - - - - - tes Sohn will der Er - den Hei - land und Er -
Christ the Lord came to save you, God for Him your
tr
Ob. I
+Ob. II
+Archi
103
lö - - ser wer - den, Hei - - - - - - land und Er -
sins for - gave you, God for Him your
lö - - ser wer - den, Hei - - - - - - land und Er -
sins for - gave you, God for Him your
lö - - ser wer - den, Hei - land und Er - lö - - - - -
sins for - gave you, God for Him your sins
lö - - ser wer - den, Hei - land und Er - lö - - - - -
sins for - gave you, God for Him your sins
Ob. I, II con il coro
tr
Archi
Cor.

109
lö - - - - - - - - ser wer - den, Got - tes Sohn,
sins for - gave you, Christ the Lord,
lö - - - - - - - - ser wer - den, Got - tes Sohn,
sins for - gave you, Christ the Lord,
- - ser wer - den, Er lö - - - - - - - ser wer - den,
for - gave you, your sins for - gave you,
- - ser wer - den, Er - lö - - - - - - - ser wer - den,
for - gave you, your sins for - gave you,
Ob.
Cor.
Cor. II
Viol. I
115
(tr)
Got - tes Sohn dämpft der Fein - de Wut und To - ben;
Christ the Lord from the pit of Hell will raise you;
Got - tes Sohn dämpft der Fein - de Wut und To - ben;
Christ the Lord from the pit of Hell will raise you;
Got - tes Sohn dämpft der Fein - - de Wut und To - ben;
Christ the Lord from the pit of Hell will raise you;
Got - tes Sohn dämpft der Fein - de Wut und To - ben;
Christ the Lord from the pit of Hell will raise you;
tr

121
Archi
+Ob.
Ob.
127
+Archi
+Cor.
132
Ob.
137
Got - tes
Christ the
Sohn
Lord
will der
came to
Er - den
save you,
Hei - land
God for
und Er -
Him your
Got - tes
Christ the
Sohn
Lord
will der
came to
Er - den
save you,
Hei - land
God for
und Er -
Him your
Got - - - tes
Christ the
Sohn will der
Lord came to
Er - den
save you,
Hei - land
God for
und Er -
Him your
Got - - - tes
Christ the
Sohn will der
Lord came to
Er - den
save you,
Hei - land
God for
und Er -
Him your
Archi
+Ob.

143
lö - ser wer - den, Hei - - - - - - land und Er - lö - -
sins for - gave you, God for Him your sins
lö - ser wer - den, Hei - land und Er - lö - - - - - - ser
sins for - gave you, God for Him your sins for -
lö - ser wer - den, Hei - land und Er - lö - - - - - - ser
sins for - gave you, God for Him your sins for -
lö - ser wer - den, Hei - - - - - - land und Er - lö - -
sins for - gave you, God for Him your sins
Cor. I con il coro
Ob.
Cor. II con il coro
Archi
Ob.
Ob.
Archi
150
- - - ser wer - den, Got - tes Sohn, Got - tes Sohn dämpft der
for - gave you, Christ the Lord, Christ the Lord from the
wer-den, Er - lö - - - - - ser wer - den, Got - tes Sohn dämpft der
gave you, your sins for - gave you, Christ the Lord from the
wer-den, Er - lö - - - - - ser wer - den, Got - tes Sohn dämpft der
gave you, your sins for - gave you, Christ the Lord from the
- - - ser wer - den, Got - - - tes Sohn dämpft der
for - gave you, Christ the Lord from the
Archi
Ob.
Tutti

158
(tr)
Fein - de Wut und To - ben. Fallt mit Dan - ken, fallt mit
pit of Hell will raise you. Bow ye, thank - ful, kneel and
Fein - de Wut und To - ben. Fallt mit Dan - ken, fallt mit
pit of Hell will raise you. Bow ye, thank - ful, kneel and
Fein - de Wut und To - ben. Fallt mit Dan - ken, fallt mit
pit of Hell will raise you. Bow ye, thank - ful, kneel and
Fein - de Wut und To - ben. Fallt mit Dan - ken, fallt mit
pit of Hell will raise you. Bow ye, thank - ful, kneel and
Cor.
Archi
166
Lo-ben vor des Höch - sten Gna - den - thron,
praise ye, kneel be - fore the Fa - ther's throne,
Lo-ben vor des Höch - sten Gna - den - thron,
praise ye, kneel be - fore the Fa - ther's throne,
Lo-ben vor des Höch - sten Gna - den - thron,
praise ye, kneel be - fore the Fa - ther's throne,
Lo-ben vor des Höch - sten Gna - den - thron,
praise ye, kneel be - fore the Fa - ther's throne,
Ob.
Cor.
Tutti

173
fallt mit Dan - - - - - - - - - - - -
bow ye, thank - - - - - - - - - - - -
fallt mit Dan - - ken, fallt mit Lo - - - ben,
bow ye, thank - - ful, kneel and praise ye,
fallt mit Dan - - ken, fallt mit Lo - - - ben,
bow ye, thank - - ful, kneel and praise ye,
fallt mit Dan - - - ken, fallt mit Lo - ben,
bow ye, thank - - - ful, kneel and praise ye,
Ob.
Cor.
Ob.
Cor.
Archi
181
- - - ken, fallt mit Lo-ben vor des Höch - sten Gna - den - thron,
- - - ful, kneel and praise ye, kneel be - fore the Fa - ther's throne,
fallt mit Dan - ken, fallt mit Lo-ben vor des Höch - sten Gna - den - thron,
bow ye, thank - ful, kneel and praise ye, kneel be - fore the Fa - ther's throne,
fallt mit Dan - ken, fallt mit Lo-ben vor des Höch - sten Gna - den - thron,
bow ye, thank - ful, kneel and praise ye, kneel be - fore the Fa - ther's throne,
fallt mit Dan - ken, fallt mit Lo - ben vor des Höch - sten Gna - den - thron,
bow ye, thank - ful, kneel and praise ye, kneel be - fore the Fa - ther's throne,
Archi
Cor.

189
fallt mit Lo - ben, fallt mit Dan - ken, fallt mit
bow ye, thank - ful, kneel and praise ye, kneel and
fallt mit Lo-ben —, fallt mit Dan - ken, fallt mit
bow ye, thankful —, kneel and praise ye, kneel and
fallt mit Dan - ken, fallt mit Lo - ben, fallt mit
bow ye, thank - ful, kneel and praise ye, kneel and
fallt mit Dan - ken, fallt mit Lo - ben, fallt mit
bow ye, thank - ful, kneel and praise ye, kneel and
Ob.
Tutti
Archi
Cor.
Tutti
196
Lo - ben — vor des Höch - sten Gna - - - - - -
praise ye —, kneel be - fore the Fa - - - - - -
Lo - ben vor des Höch - sten Gna - - - - - -
praise ye, kneel be - fore the Fa - - - - - -
Lo - ben — vor des Höch - - sten Gna - - - -
praise ye —, kneel be - fore — the — Fa - - - -
Lo - ben, fallt mit Dan - ken, fallt mit Lo - ben vor des
praise ye, bow ye, thank - ful, kneel and praise ye, kneel be -
Cor.

202
- - - - den - thron, fallt mit Dan - ken, fallt mit Lo-ben, fallt mit
- - - -ther's throne, bow ye, thank - ful, kneel and praise ye, bow ye,
- - - - den - thron, fallt mit Dan - ken, fallt mit Lo-ben fallt mit
- - - -ther's throne, bow ye, thank - ful, kneel and praise ye, kneel and
- - - - den - thron, fallt mit Dan - ken, fallt mit Lo-ben, fallt mit
- - - -ther's throne, bow ye, thank - ful, kneel and praise ye, bow ye
Höch - sten Gna - den - thron, fallt mit Dan - ken, fallt mit Lo-ben,
fore the Fa - ther's throne, bow ye, thank - ful, kneel and praise ye,
+Cor.
Cor.
Archi
210
Dan - - - - ken, fallt mit Lo - - - ben, fallt mit
thank- - - - ful, kneel and praise ye, bow ye,
Lo - - - - - - - - - - ben, fallt mit
praise ye, bow ye,
Dan - - - - ken, fallt mit Lo - - - ben, fallt mit
thank- - - - ful, kneel and praise ye, bow ye,
fallt mit Dan - ken, fallt mit Lo - - - ben, fallt mit
bow ye, thank - ful, kneel and praise ye, bow ye,
Ob.
Cor.
Ob.
Cor.
Tutti

218
Dan - ken, fallt mit Lo - ben vor des Höch - sten Gna - den - thron.
thank - ful, kneel and praise ye, kneel be - fore the Fa - ther's throne.
Dan - ken, fallt mit Lo - ben vor des Höch - sten Gna - den - thron.
thank - ful, kneel and praise ye, kneel be - fore the Fa - ther's throne.
Dan - ken, fallt mit Lo - ben vor des Höch - sten Gna - den - thron.
thank - ful, kneel and praise ye, kneel be - fore the Fa - ther's throne.
Dan - ken, fallt mit Lo - ben vor des Höch - sten Gna - den - thron.
thank - ful, kneel and praise ye, kneel be - fore the Fa - ther's throne.
225 Cor.
Tutti
Ob.
Cor.
230
Tutti
235

37. Evangelista
Recitativo
Tenore
Continuo
Und da acht Ta - ge um wa - ren, daß das Kind be - schnit - ten
And when eight days where ac - com-plished, for the circum-cising of the
wür - de, da ward sein Na - me ge - nen - net Je - sus, wel - cher ge -
child ___, then was the name of the child called Je - sus, which was the
nen-net war von dem En - gel, e - he denn er im Mut - ter-lei - be emp - fan - gen ward.
name the An - gel had giv - en, giv-en ere He had been conceived in His mo - ther's womb.
38. Recitativo con Chorale (Soprano, Basso)
Basso
Viol. I, II
Va.
Continuo
Im - ma - nu - el, o sü - ßes Wort! Mein Je - sus heißt mein
Im - ma - nu - el, O word so sweet! My Je - sus, safe re -
Hort, mein Je - sus heißt mein Le - ben. Mein Je - sus hat sich mir er -
treat, my life my Je - sus gave me. My Je sus died that He might
p

5
ge - ben, mein Je - sus soll mir im - mer - fort vor mei - nen Au - gen
safe me. My Je - sus im - age dear I prize, a joy to light mine
7
schwe - ben. Mein Je - sus hei - ßet mei - ne Lust, mein Je - sus la - bet Herz und Brust.
eyes; my Je - sus is my heart's de - light, my com - fort sure, my bea - con bright.
a tempo
arioso
10
Soprano
Je - su, du mein lieb - stes Le - ben,
Je - sus Thou, my Dear - est Mas - ter,
(tr)
Komm! Ich will dich mit Lust um - fas - sen, mein Her - ze
Come, for in my heart will I re - ceive Thee, there hold Thee
tr
12
mei - ner See - len Bräu - ti - gam,
my be - lo - ved ev - er be;
soll dich nim - mer las - sen, ach!
fast and nev - er leave Thee, Ah,

14
der du dich vor mich ge - ge - ben
Thou who didst so sore - ly suf - fer,
So nimm mich zu dir, so nimm mich zu dir, ach, nimm mich zu
then take me to Thee, then take me to Thee, ah, take me to
16
Recitativo
an des bit - tern Kreu - zes Stamm!
on Thy bit - ter Cross ___ for me!
dir. ach. ach ___, nimm mich zu dir! Auch in dem Ster-ben sollst du mir das
Thee! Oh, Lord ___, take me to Thee! And tho' death take me, my be-lov-ed
19
Al - ler - lieb - ste sein; in Not, Ge - fahr und Un-ge-mach seh ich dir sehn-lichst
Lord will not for - sake me, In need, dis-tress, ad - ver - si - ty, for help I cry to
22
nach. Was jag - te mir zu - letzt der Tod für Grau - en ein? Mein
Thee. In Thy pro - tec - tion ev - en death af - frights not me! My

24
Je - sus! Wenn ich ster - be, so weiß ich, daß ich nicht ver - der - be. Dein
Je - sus, when I die I know that death I may de - fy ; Thy
26
Na - me steht in mir ge - schrie - ben, der hat des To - des Furcht ver - trie - ben.
Name all doubt and dread doth ban - ish, and cause the fear of death to van - ish.
39. Aria (Soprano, Echo [Soprano])
Ob. I Solo
Continuo
6
11

17
Soprano
Flößt, mein Heiland, flößt dein Namen
Say, my Saviour, tell me right-ly,
23
flößt, mein Heiland, flößt dein Namen auch den allerkleinsten Samen jenes
say, my Saviour, tell me right-ly, shall Thy name the least affright me, cause me
28
strengen Schrekkens ein? jenes strengen Schreckens, jenes strengen
terror or dismay? shall Thy name affright me, shall Thy name af-
33
Schreckens, flößt dein Namen, flößt, mein
fright me, tell me rightly, say, my

38
Hei - land, flößt dein Na - men auch den al - ler - klein-sten Sa - men je - nes stren-gen Schrek-kens
Sa - viour, tell me right - ly, shall Thy name the least af - fright me, cause me ter - ror or dis -
43
ein? Nein, du sagst ja sel - ber nein, du sagst selber nein;
may? Nay, nay, say Thou ev - er „nay", say Thou ev - er „nay";
Echo
Nein! nein!
Nay! nay!
pp
p
49
flößt dein Na-men auch den al - ler - klein-sten Sa-men je - nes Schrek - kens ein?
tell me right-ly, shall Thy name the least af - fright me, fill me with dis - may?
pp
p

55
Nein,
Nay,
nein,
nay,
nein,
nay,
nein, du
nay, Thou
sagst ja selber
say-est ever
nein!
nay!
nein!
nay!
nein!
nay!
61
nein!
nay!
67
Sollt ich nun das Ster-ben scheu-en? Nein, dein sü-ßes Wort ist
Should I think of death with sad-ness? No, Thy Word keeps fear a-
73
da! O-der sollt ich mich er-freu- - - - - - - en? Ja,
way! Shall I not be filled with glad - - - - - - ness? Yea,

78
du Hei - land ja ___, du Hei - land sprichst selbst ja,
my Sa - viour, yea ___, my Sa - viour, say Thou „yea"!
p
83
ja, du Hei-land sprichst selbst ja, ja, ja, ja, ja,
Echo yea, my Sa-viour, say Thou „yea"! yea, yea! yea, yea!
ja! ja! ja, ja! ja,
yea! yea! yea, yea! yea!
89
ja, du Hei - land sprichst selbst
yea, my Sa - viour say Thou
ja! ja!
yea! „yea"!
f
94

98
Sollt ich nun das Ster - ben scheu - en? Nein, dein sü - ßes Wort ist
Should I think of death with sad - ness? No, Thy word keeps fear a -
p
tr
103
da ! O - der sollt ich mich er - freu
way ! Shall I not be filled with glad
108
en? Ja, du Hei - land
ness? Yea, my Sa - viour,
113
sprichst selbst ja, ja, du Hei - land sprichst selbst ja,
say Thou „yea"! „yea"! my Sa - viour, say Thou „yea"!
Echo
ja!
yea!

118
ja, du
yea, my
Hei-land sprichst selbst
Sa - viour, say Thou
ja,
„yea"!
ja, ja,
yea, yea!
ja,
yea,
ja,
yea!
ja!
yea!
ja, ja!
yea, yea!
ja, ja!
yea, yea!
124
ja, ja,
yea, yea!
ja, du
yea, my
Hei - land sprichst selbst
Sa - viour, say Thou
ja, ja!
yea, yea!
ja!
„yea"!
f
129
tr
tr
p
134
f
p
f
p
f
p
f

40. Recitativo con Chorale

7
arioso
(tr)
Reci-
mein Er - lö - sung Schmuck und Heil,
King, Re - deem - er, sun and light,
nen - nen, wenn Brust und Herz zu dir vor Lie - be bren - nen. Doch,
burn - ing, with pur - est love for Thee, and ea - ger yearn - ing. My
tr
9
-tativo
arioso
Hirt und Kö - nig
Guide and Shep - herd,
Lieb - ster, sa - ge mir: Wie rühm ich dich, doch Lieb - ster,
Dear - est, tell Thou me: how may I thank, my Dear - est,
11
Recitativo
Licht und Son - ne,
price - less Trea - sure.
sa - ge mir: Wie rühm ich dich, wie, wie dank ich
tell Thou me: how may I thank, how, how ho - nor

13
arioso
ach! wie soll ich wür - dig - lich,
Ah, Lord Je - sus, how may we,
dir? wie, Lieb - ster, sa - ge mir: Wie rühm ich
Thee? how, Dear - est, say Thou me: how may I
15
mein Herr Je - su, prei - sen dich?
fit - ly, right - ly, ho - nor Thee?
dich, Lieb - ster, sa - ge, wie dank ich dir?
thank, Dear - est, tell Thou, how thank I Thee?
41. Aria (Tenore)
Viol. II
Viol. I,II
Continuo
simile
3
Viol. I

5
7
II.
I.
9
I.
II.
11
II.
I.
13 Tenore
Ich will nur dir zu Eh - ren le - - - - - - - - - - -
Thy Name I live to praise and ho - - - - - - - - - - -
I.
p II.

15
-ben, mein
-nor, Lord,
17
Hei - land, gib mir Kraft und Mut, daß
give me strenght and cou - rage too, that
19
es mein Herz recht eif - rig, recht eif - rig tut;
I be ev - er ea - ger Thy will to do.
21
Ich will nur
Thy Name I

23
dir zu Eh - ren le - - - - - - - - - - - - - -
live to praise and ho - - - - - - - - - - - - - -
25
- ben,
- nor,
f
f
27
ich will nur dir zu Eh - ren le - - - - - - - -
Thy Name I live to praise and ho - - - - - - - -
II.
p
I.
29
- - - - - - - ben, mein Hei - land, gib mir Kraft
- - - - - - - nor, Lord, give me strenght and cou -
I.
II.
II.
I.

31
und Mut, daß es mein Herz recht
rage too, that I be ev - er
I.
II.
33
eif - rig, recht eif - rig tut!
ea - ger Thy will to do.
II.
35
37 I.
II.
39

41
II.
I.
I.
II.
43
II.
I.
45
Stär - ke mich, dei - ne Gna - - -
Strenght - en me by Thy Grace
I.
p
II.
Fine
48
- - - - - - - de wür - - - dig - lich und mit Dan -
that worth - - - i - ly, I may thank
50
- ken zu er - he - - - - - - - - ben, mit
Thee and ex - tol Thee, may

52
Dan - - - - ken zu er - he - - - ben;
thank Thee and ex - tol Thee;
f
f
54
56
58
stär - - ke mich,
strenght - en me
tr
p
60
dei - ne Gna - - - - - - - - - - - -
by Thy Grace

62
- - - - - - de wür - dig - lich und mit Dan - ken zu er -
that worth - i - ly, I may thank Thee and ex -
I.
64
he - ben, mit Dan - ken zu er - he - - - - - - - -
tol Thee, may thank Thee and ex - tol
II.
66
- - - - - - - - - - ben, mit Dan - ken zu er -
Thee, may thank Thee and ex -
I.
II.
II.
I.
I.
II.
II.
I.
68
adagio
he - ben, mit Dan-ken zu er - he - - - - - ben, zu er-he - ben!
tol Thee, may thank Thee and ex - tol Thee, and ex-tol Thee.
I.
II.
I.
II.
I.
II.
Da capo

42. Chorale

(18)
Soprano
Alto
Tenore
Basso
Je - sus
Je - sus,
Je - sus
Je - sus,
Cor.
Ob.
Archi
Ob. + Archi
Cor. I, II
Ob. I, II
Viol. I, II
Va.
Continuo
6 (22)
rich - te mein Be - gin - nen,
be my firm foun - da - tion,
zäu - me mir die Sin - nen,
save me from temp - ta - tion,
Ob.
Cor.
+ Archi

12 (28)
1.
Je - sus blei - be stets bei mir,
Je - sus, guard Thou well my soul;
Je - sus sei nur mein Be - gier,
Je - sus, be my on - ly goal.
-Cor.
+Cor.
33
2.
Je - sus
Je - sus,
Je - sus
Je - sus,
-Cor.

38
sei mir in Ge - dan - - ken,
keep me in Thy fa - - vor,
Ob.
Archi
+ Cor.
44
Je - su, las - se mich nicht wan - - ken!
Je - sus, let me ne - ver wa - - ver.
–Cor.
50

V. Teil · Part V

Am Sonntag nach Neujahr · Sunday after New Year

Ehre sei dir, Gott, gesungen
Glory be to God Almighty

43. Coro

16
Soprano
Eh - re sei dir, Gott, Eh - re sei dir, Gott,
Glo - ry be to God, glo - ry be to God,
Alto
Eh - re sei dir, Gott,
Glo - ry be to God,
Tenore
Eh - re sei dir, Gott,
Glo - ry be to God,
Basso
Eh - re sei dir, Gott, Eh - re sei dir, Gott,
Glo - ry be to God, glo - ry be to God,
Ob. d'am.
20
Eh - re sei dir, Gott, ge - sun-gen__, Eh - re sei dir,
glo - ry be to God Al - migh-ty__, glo - ry be to
Eh - re sei dir, Gott, ge - sun - gen, Eh - re sei dir, Gott, Eh - re sei dir,
glo - ry be to God Al - migh - ty, glo - ry be to God, glo - ry be to
Eh - re sei dir, Gott, ge - sun-gen__, Eh - re sei dir, Gott, Eh - re sei dir,
glo - ry be to God Al - migh-ty__, glo - ry be to God, glo - ry be to
Eh - re sei dir, Gott, ge - sun - gen, Eh - re sei dir,
glo - ry be to God Al - migh - ty, glo - ry be to
Archi

24
Gott,
God,
Eh - re sei dir, Gott, ge - sun - gen,
glo - ry be to God Al - migh - ty,
Eh - re sei dir,
glo - ry be to
Ob. d'am.
Archi
28
Gott, Eh - re sei dir,
God, glo - ry be to
Eh - re sei dir, Gott, ge - sun - gen, dir sei
glo - ry be to God Al - migh - ty! glo - ry,
Archi
Ob. d'am.

32
dir sei Lob und Dank be - reit', Lob und Dank
glo - ry, praise and thanks to - day, praise and thanks
Lob und Dank be - reit', Lob und Dank, Lob und Dank be - reit', dir sei Lob und
praise and thanks to - day, praise and thanks, praise and thanks to - day, glo - ry, praise and
36
dir sei Lob und Dank be - reit', Lob und Dank
glo - ry, praise and thanks to - day, praise and thanks
, Lob und Dank be - reit', Lob und Dank be - reit', dir sei Lob und
, praise and thanks to - day, praise and thanks to - day, glo - ry, praise and
Dank, Lob und Dank be - reit', dir sei Lob und Dank be - reit', Lob und Dank be -
thanks, praise and thanks to - day, glo - ry, praise and thanks to - day, praise and thanks to -
dir sei
glo - ry,
Ob. d'am. I
Archi
Ob. d'am. II

40
—, Lob — und Dank be - reit', dir sei Lob und Dank —
—, praise — and thanks to - day, glo - ry, praise and thanks —
Dank, Lob und Dank be - reit', dir sei Lob und Dank —, Lob und Dank be -
thanks, praise and thanks to - day, glo - ry, praise and thanks —, praise and thanks to -
reit', Lob und Dank be - reit', dir sei Lob und Dank, dir sei Lob —
day, praise and thanks to - day, glo - ry, praise and thanks, glo - ry, praise —
Lob — und Dank be - reit', Lob — und Dank —, dir sei Lob und Dank —, sei
praise — and thanks to - day, praise — and thanks —, glo - ry, praise and thanks —, be
simile
+ Archi
44
—, Lob und Dank be - reit' —, dir sei Lob und Dank —
—, praise and thanks to - day —, glo - ry, praise and thanks —
reit' —, dir sei Lob und Dank —
day —, glo - ry, praise and thanks —
—, Lob — und Dank be - reit', dir sei Lob und Dank, Lob — und Dank —
—, praise and thanks to - day, glo - ry, praise and thanks, praise — and thanks —
Lob und Dank be - reit' —, dir sei Lob und Dank —
praise and thanks to - day —, glo - ry, praise and thanks —

48
be - reit', dir sei
to - day, glo - ry,
be - reit'
to - day
, und Dank be - reit', dir sei
, and thanks to - day, glo - ry,
, Lob und Dank, dir sei Lob, dir sei Lob
, praise and thanks, glo - ry, praise, glo - ry, praise
52
Lob und Dank be - reit';
praise and thanks to - day;
, sei Lob und Dank be - reit';
, be praise and thanks to - day;
Lob und Dank be - reit';
praise and thanks to - day;
und Dank be - reit';
and thanks to - day;
Archi
tr
Ob. d'am.

56
Eh - - - - - - - - -
glo - - - - - - - - -
Eh - - - re sei dir, Gott, Eh - -
glo - - - ry be to God, glo - -
Eh - - -re,
glo - - -ry,
Eh - re sei dir, Gott, ge -
glo - ry be to God Al -
60
- re sei dir, Gott, ge - sun-gen,
- ry be to God Al - migh-ty!
- re sei dir, Gott, ge - sun - gen,
- ry be to God Al - migh - ty!
Eh - re sei dir, Gott, ge - sun-gen,
glo - ry be to God Al - migh-ty!
sun-gen, sei dir, Gott, ge - sun - gen,
migh-ty, be to God Al - migh - ty!

64
dir sei Lob und Dank, Lob und Dank be-
glo - ry, praise and thanks, praise and thanks to-
dir sei Lob und Dank be-
glo - ry, praise and thanks to-
dir sei Lob und Dank, dir sei Lob und Dank be-
glo - ry, praise and thanks, glo-ry praise and thanks to-
dir sei Lob und Dank be - reit', Lob und Dank be-
glo - ry, praise and thanks to - day, praise and thanks to-
68
reit'; Eh - re sei dir, Gott, Eh - re sei dir, Gott, Eh - re sei dir, Gott, Eh - re sei dir,
day; glo - ry be to God, glo - ry be to God, glo - ry be to God, glo - ry be to
reit'; Eh - re sei dir, Gott, Eh - re sei dir,
day; glo - ry be to God, glo - ry be to
reit'; Eh - re sei dir, Gott, Eh - re sei dir,
day; glo - ry be to God, glo - ry be to
reit'; Eh - re sei dir, Gott, Eh - re sei dir, Gott, Eh - re sei dir, Gott, Eh - re sei dir,
day; glo - ry be to God, glo - ry be to God, glo - ry be to God, glo - ry be to
Archi
Ob. d'am.

72
Gott, Eh - re sei dir, Gott, Eh - re sei dir, Gott, sei dir, Gott, ge - sun - gen,
God, glo - ry be to God, glo - ry be to God, be to God Al - migh - ty,
Gott, Eh - re sei dir, Gott, Eh - re sei dir, Gott, sei dir, Gott, ge - sun - gen,
God, glo - ry be to God, glo - ry be to God, be to God Al - migh - ty,
Gott, Eh - re sei dir, Gott, Eh - re sei dir, Gott, sei dir, Gott, ge - sun - gen,
God, glo - ry be to God, glo - ry be to God, be to God Al - migh - ty,
Gott, Eh - re sei dir, Gott, Eh - re sei dir, Gott, sei dir, Gott, ge - sun - gen, dir sei
God, glo - ry be to God, glo - ry be to God, be to God Al - migh - ty, glo - ry,
Tutti
Ob. d'am.
76
dir sei Lob und Dank be - reit', Lob und Dank
glo - ry, praise and thanks to - day, praise and thanks
Lob und Dank be - reit', Lob und Dank, Lob und Dank be - reit', dir sei Lob und
praise and thanks to - day, praise and thanks, praise and thanks to - day, glo - ry, praise and
Archi

80
dir sei
glo - ry,
dir sei
glo - ry,
Lob und Dank be - reit', Lob und Dank
praise and thanks to - day, praise and thanks
, Lob und Dank be - reit', , Lob und Dank be - reit', dir sei Lob und
, praise and thanks to - day , praise and thanks to - day, glo - ry, praise and
Dank, Lob und Dank be - reit', dir sei Lob und Dank be - reit', Lob und Dank be -
thanks, praise and thanks to - day, glo - ry, praise and thanks to - day, praise and thanks to -
Ob. d'am. II con il Alto
Ob. d'am. I con il Soprano
84
Lob und Dank be - reit', Lob und Dank be - reit' , Lob und Dank be -
praise and thanks to - day, praise and thanks to - day , praise and thanks to -
, Lob und Dank be - reit', dir sei Lob und Dank
, praise and thanks to - day, glo - ry, praise and thanks
Dank, Lob und Dank be - reit' , dir sei Lob und Dank
thanks, praise and thanks to - day , glo - ry, praise and thanks
reit', sei Lob und Dank be - reit', Lob und Dank be - reit', dir sei Lob und Dank , sei
day, be praise and thanks to - day, praise and thanks to - day, glo - ry, praise and thanks , be
simile

88
reit'
day
, dir sei Lob und
, glo - ry, praise and
Dank
thanks
, Lob und Dank be -
, praise and thanks to -
reit'
day
, dir sei Lob und
, glo - ry, praise and
Dank
thanks
, Lob und Dank be - reit', dir sei Lob und Dank, Lob und Dank
, praise and thanks to - day, glo - ry, praise and thanks, praise and thanks
Lob und Dank be - reit'
praise and thanks to - day
, dir sei Lob und Dank
, glo - ry, praise and thanks
92
be - reit'
to - day
be - reit', dir sei
to - day, glo - ry,
, und Dank be - reit', dir sei
, and thanks to - day, glo - ry,
, Lob und Dank, dir sei Lob, dir sei Lob
, praise and thanks, glo - ry, praise, glo - ry, praise

96
—, sei Lob —, sei Lob und Dank be - reit'. Dich er - he - bet al - le
—, be praise —, be praise and thanks to - day. All the world doth wor - ship
Lob und Dank be - reit'. Dich er - he - bet al - le
praise and thanks to - day. All the world doth wor - ship
Lob und Dank be - reit'. Dich er - he - bet al - le
praise and thanks to - day. All the world doth wor - ship
und Dank be - reit'. Dich er - he - bet al - le
and thanks to - day. All the world doth wor - ship
Fine
100
Welt, weil dir un - ser Wohl ge -
Thee, all our needs dost Thou fore -
Welt, weil dir un - ser Wohl ge -
Thee, all our needs dost Thou fore -
Welt, weil dir un - ser Wohl ge -
Thee, all our needs dost Thou fore -
Welt, weil dir un - ser Wohl ge -
Thee, all our needs dost Thou fore -
Archi
Ob. d'am.

104
fällt,
see,
weil an - heut un - ser
and this day hast_ Thou
weil an - heut un - ser al -
and this day hast_ Thou migh -
Archi
Ob. d'am. II
+ Ob. d'am. I
108
al - ler Wunsch ge - lun - gen, weil uns dein Se - gen so herr-lich er - freut;
migh - ti - ly re - joiced_ us with this rich bles - sing for which we have prayed.
tr
Ob. d'am.

112
dich er-he- - bet al-le Welt,
All the world doth wor-ship Thee,
dich er-he- - bet al-le Welt,
All the world doth wor-ship Thee,
dich er- he- - bet al-le Welt,
All the world doth wor-ship Thee,
dich er- he- - bet al-le Welt,
All the world doth wor-ship Thee,
116
weil dir un- - ser Wohl ge- fällt,
all our needs dost Thou fore- see,
weil dir un- - ser Wohl ge- fällt,
all our needs dost Thou fore- see,
weil dir un- - ser Wohl ge- fällt,
all our needs dost Thou fore- see,
weil dir un- - ser Wohl ge- fällt,
all our needs dost Thou fore- see,

120
weil an - heut un - ser al - - - - - ler Wunsch ge - lun - gen, weil uns dein Se - gen so herr-lich er- freut.
and this day hast Thou migh - - - - - ti - ly re - joiced us with this rich bles - sing for which we have prayed.
weil an - heut un - ser al - - ler Wunsch ge - lun - gen, weil uns dein Se - gen so herr-lich er- freut.
and this day hast Thou migh - - ti - ly re - joiced us with this rich bles - sing for which we have prayed.
weil an - heut un - ser al - ler Wunsch ge - lun - - - gen, weil uns dein Se - gen so herr - lich er- freut.
and this day hast Thou migh - ti - ly re - joiced us with this rich bles - sing for which we have prayed.
weil an - heut un - ser al - - - - - ler Wunsch ge - lun - gen, weil uns dein Se - gen so herr - lich er - freut.
and this day hast Thou migh - - - - ti - ly re - joiced us with this rich bles - sing for which we have prayed.
Tutti
123
Da capo

44. Evangelista
Recitativo
Tenore
Continuo
Da Je - sus ge - bo - ren war zu Beth - le - hem im jü - di - schen
When Je - sus our Lord was born in Beth - le - hem, in the land of Ju -
3
Lan - de zur Zeit des Kö - ni - ges He - ro - dis, sie - he, da
de - a, in the days of He - rod the king, lo then there
5
ka - men die Wei - sen vom Mor - gen - lan - de gen Je - ru - sa - lem und spra - chen:
came from the Land in the East Three Wise Men to Je - ru - sa - lem, say - ing:
attacca
45. (Coro e Alto)
Coro
Soprano
Alto
Tenore
Basso
(f)
Wo, wo, wo ist der neu - ge - bor - ne Kö - nig der Jü - den, wo
O where, o where is he that is born King of Ju - de - a, o
Wo, wo, wo, wo, wo ist der neu - ge - bor - ne Kö - nig der
O where, o where, o where is he that is born King of Ju -
Wo, wo, wo, wo, wo ist der neu - ge - bor - ne Kö - nig der
O where, o where, o where is he that is born King of Ju -
Wo, wo, wo, wo, wo ist der neu - ge - bor - ne Kö - nig der
O where, o where, o where is he that is born King of Ju -
Ob. d'am. I, II
Viol. I, II
Va.
Continuo
Tutti

3
Recitativo
ist der neu-ge-bor-ne Kö-nig der
where is he that is born King of Ju-
Jü-den? wo, wo, wo,
de-a, o where? o
wo?
where?
Alto
Jü-den, wo ist der neu-ge-
de-a, o where is he that
bor-ne Kö-nig der Jü-den? wo,
is born King of the Jews, o where,
wo? Sucht ihn in mei-ner
where? Seek Him with-in my
p
senza Ob. d'am.
6
Coro
Brust, hier wohnt er,
heart, here dwells He,
mir und ihm zur Lust!
nor will He de-part!
Wir ha-ben
For we have
Wir ha-ben sei-nen Stern ge-
For we have seen His star be-
f

9
Wir ha - ben sei-nen Stern ge-se-hen im Mor - gen - lan-de,
For we have seen His star be-fore us, His star be - fore us,
Wir ha - ben sei-nen Stern ge - se-hen im Mor - gen - lan-de, im Mor-gen-
For we have seen His star be - fore us, His star be - fore us, His star be-
sei-nen Stern ge-se-hen im Mor - gen - lan-de, wir ha - ben sei-nen Stern ge-
seen His star be-fore us, His star be - fore us, for we have seen His star be-
se-hen im Mor - gen - lan-de, wir ha-ben sei-nen Stern ge-se-hen im
fore us, His star be - fore us, for we have seen His star be-fore us, His
+Ob. d'am. II
+Ob. d'am. I
12
wir ha-ben sei-nen Stern ge - se-hen im Mor-gen-lan - de, im Mor-gen-lan-de und sind
for we have seen His star be - fore us, His star be-fore us, His star be-fore us, and are
lan-de, wir ha - ben sei-nen Stern ge-se-hen im Mor-gen - lan - de und sind
fore us, for we have seen His star be-fore us, His star be - fore us, and are
se-hen im Mor-gen-lan - de, sei - nen Stern ge - se-hen im Mor-gen-lan-de
fore us, His star be - fore us, we have seen His star in the East be-fore us,
Mor-gen-lan - de, wir ha - ben sei-nen Stern ge-se-hen im Mor-gen - lan - de
star be-fore us, for we have seen His star be-fore us, His star be - fore us,

15
kom - men, ihn an - zu - be - - ten, ihn an - zu - be - - ten, ihn an - zu - be -
come, that we may a - dore Him, we would a - dore Him, we would a - dore
kom - men, ihn an - zu - be - ten, ihn an - zu - be - ten, ihn
come, that we may a - dore Him, we would a - dore Him, we
und sind kom - men, ihn an - zu - be - ten, ihn an - zu - be - - ten, ihn an - zu -
and are come, that we may a - dore Him, we would a - dore Him, we would a -
und sind kom - men, ihn an - zu - be - ten, ihn an - zu - be - - ten, ihn an - zu -
and are come, that we may a - dore Him, we would a - dore Him, we would a -
18
Recitativo
- - - ten.
Him.
Alto
an - zu - be - ten. Wohl euch, die ihr dies Licht ge - se - hen, es ist zu eu - rem Heil ge -
would a - dore Him. Re - joice! to ye of God's Cre - a - tion, He sends the light of His Sal -
be - - - ten.
dore Him.
be - - - ten.
dore Him.
p
senza Ob. d'am.
p

21
sche - hen! Mein Hei - land, du, du bist das Licht das auch den
va - tion! My Sa - viour, Thou, Thou art the Light to them whose
23
Hei-den schei-nen sol-len, und sie, sie ken-nen dich noch nicht als sie dich schon ver-eh-ren
Faith is yet a - stray, and tho they know Thee not a - right, yet would they ho - nor Thee to -
26
wol-len. Wie hell, wie klar muß nicht dein Schein, ge - lieb-ter Je - su, sein!
day. How fair, how bright, Thy light doth shine, Be - lo - ved Je - sus, mine!
46. Choral
Soprano
Alto
Tenore
Basso
Dein Glanz all Fin - ster - nis ver - zehrt, die
Thy splen - dor drives the night a - way, and
Ob. d'am. I,II
Viol. I,II
Va.
Continuo

4
trü - be Nacht in
turns the dark - ness
Licht ver - kehrt. Leit
in - to day. Shed
uns auf dei - nen
Thou Thy glo - ry
We - gen, daß
o'er us, Thy
trü - be Nacht in
turns the dark - ness
Licht ver-kehrt. Leit
in - to day. Shed
uns auf dei - nen
Thou Thy glo - ry
We - gen, daß
o'er us, Thy
trü - be Nacht in
turns the dark - ness
Licht ver-kehrt. Leit
in - to day. Shed
uns auf dei - nen
Thou Thy glo - ry
We - gen, daß
o'er us, Thy
trü - be Nacht in
turns the dark - ness
Licht ver - kehrt. Leit
in - to o day. Shed
uns auf dei - nen
Thou Thy glo - ry
We - gen, daß
o'er us, Thy
8
dein Ge - sicht und
beau - teous face and
herr - lichs Licht wir
rad - iant grace, our
e - wig schau - en mö - gen!
light and guide be - fore us.
dein Ge - sicht und
beau - teous face and
herr - lichs Licht wir e - wig schau - en mö - gen!
rad - iant grace, our light and guide be - fore us.
dein Ge - sicht und
beau - teous face and
herr - lichs Licht wir
rad - iant grace, our
e - wig schau - en mö - gen!
light and guide be-fore us.
dein Ge - sicht und
beau - teous face and
herr - lichs Licht wir
rad - iant grace, our
e - wig schau-en mö - gen!
light and guide be - fore us.
tr

47. Aria (Basso)

31
fin - stre Sin - nen, er - leuch - te mein Her - ze durch der Strah -
blin - ded sen - ses, and bright - en my Heart with the clear ray
36
- - - - len kla - ren Schein, er - leucht auch
of Thy re - gard, en - ligh - - - ten
41
mei - ne fin - stre Sin - nen, er - leuch - - - - - - - te mein
Thou my blin - ded sen - ses, and bright - - - - - - - en my
46
Her - ze durch der Strah - - - - - - len kla - ren Schein, er - leucht
Heart with the clear ray of Thy re - gard, en - ligh -

51
auch mei - ne fin - stre Sin - nen, er - leuch - te mein
ten Thou my blin - ded sen - ses, and bright - en my
56
Her - ze durch der Strah - len kla - ren Schein!
Heart with the clear ray of Thy re - gard.
61
66
71
Dein Wort soll mir die hell - ste
Thy word shall be a shi - ning

76
Ker - ze in al - - - - - - - - - - - - - - -
can - dle to guide
81
- - - len mei - - nen Wer - - ken sein;
me when the way is hard,
86
dies läs - set die See - le nichts
to ward off temp - ta - tion and
91
Bö - ses be - gin - nen. Er - leucht auch mei - - -
ev - il of - fen - ses. En - ligh - - - - - - ten Thou

96
ne fin - stre Sin - nen, er - leuch - te mein Her - ze durch der Strah -
my blin - ded sen - ses, and bright - en my Heart with the clear ray
101
- - len kla - ren Schein, er - leuch - - - te mein
of Thy re - gard, en - ligh - - - ten my
106
Her - ze, er - leucht auch mei - ne fin - stre Sin - nen, er -
sen - ses, en - ligh - ten Thou my blin - ded sen - ses, and
111
leuch - - - - te mein Her - ze durch der Strah - - - - -
bright - - - - en my Heart with the clear ray

116
- -len kla - ren Schein, durch der Strah - len kla - ren Schein!
of Thy re - gard, the clear ray of Thy re - gard.
tr
f
121
126
tr
131
tr
136
140

48. Evangelista

5
ihr euch nicht viel-mehr dar - ü - ber freu - en, weil er da-durch ver -
joy - ous come, to hail this pro-mised morn ___; re - joice with Chris - ten -
7
Evan-
Tenore
sprichts, der Men-schen Wohl-fahrt zu ver - neu - en. Und
dom that Christ the Lord this day was born ___! And
50. -gelista
ließ ver-samm-len al - le Ho - he - prie - ster und Schrift - ge - lehr - ten un - ter dem
when the King had gath - ered all the scribes of the peo - ple and the Chief Priests to -
Continuo
3
Volk und er - for - sche - te von ih - nen, wo Chri - stus
gether, he de - man - ded of them, say - ing: This Christ - child,
5
soll - te ge - bo - ren wer - den. Und sie sag - ten ihm: Zu Beth - le - hem
where will be born this Christ-child? And they said to him: „In Beth - le - hem

7
im jü - di-schen Lan - de; denn al - so ste - het ge - schrie - ben durch den Pro -
the land of Ju - dae - a; for thus it is writ - ten by the
9 andante
phe - ten: Und du Beth - le-hem im jü - di-schen Lan - de, bist mit -
pro - phet: „And thou Beth - le-hem, the land of Ju - dae - a thou wilt
12
nich - ten die klei - nest un - - ter den Für - sten Ju - da;
not be, not be the least of the Lords of Ju - dah;
14
denn aus dir soll mir kom-men der Her - zog, der ü - ber mein Volk I -
for from thee there will come forth a Gov-er-nor, to be a Ru - ler o -
17
- sra - el ein Herr sei.
- ver my peo-ple Is - ra - el."

51. Aria Terzetto (Soprano, Alto, Tenore)

26
wird die Zeit, die Zeit er - schei - nen, wenn, ach, wenn
comes to us, to us sal - va - tion, when, ah, when
kömmt der Trost der Sei - nen, wenn, ach, wenn kömmt der
comes our con - so - la - tion, when, ah, when comes at
31
wird die Zeit er - schei - nen, wenn, ach, wenn wird die Zeit
comes to us sal - va - tion, when, ah, when comes to us
Trost, der Trost der Sei - nen, ach, wenn kömmt der Trost der
last our con - so - la - tion, ah, when comes our con - so -
36
, die Zeit er - schei - nen, ach, wenn, ach, wenn
, to us sal - va - tion, ah, when, ah, when
Alto
schweigt, schweigt, er ist schon würk - lich hier, schweigt,
peace, peace, He soon will come to thee, peace,
Sei - nen, wenn, ach, wenn, ach, wenn
la - tion, when, ah, when, ah, when

41
wird die Zeit er - schei-nen, ach, wenn
comes to us sal - va - tion, ah, when
schweigt, schweigt, schweigt, er ist schon würk - lich hier, schweigt,
peace, peace, peace, He soon will come to thee, peace,
kömmt der Trost der Sei - nen, ach, wenn
comes our con - - so - la - tion, ah, when
46
wird die Zeit er - schei - nen,
comes to us sal - va - tion,
schweigt, schweigt, schweigt, er ist schon würk - lich hier, er ist schon
peace, peace, peace, He soon will come to thee, He soon will
kömmt der Trost der Sei - nen,
comes our con - - so - la - tion,

51
ach,
ah,
wenn
when
wird die Zeit er-
comes to us sal-
schei
va
würk-lich
come to
hier,
thee,
schweigt,
peace,
er ist
He soon
schon würk-
will come
ach,
ah,
wenn kömmt der
when comes our
Trost
con
der Sei
so-la
57
nen?
tion?
lich
to
hier,
thee,
schweigt,
peace,
er ist schon
He soon will
würk-lich
come to
hier!
thee!
nen?
tion?
f
62
tr

67
71
75
80
Soprano
Tenore
Je - - - - su, ach so komm
Je - - - - sus, Je - sus, come
Je - - - su, ach so komm zu mir, Je -
Je - - - sus, Je - sus, come to me, Je -
p
85
zu mir, Je - - su, ach so komm
to me, Je - - sus, Je - sus, come
- su, ach so komm , ach Je - - su, komm zu
- sus, Je - sus, come , Je - - sus, come to

90
zu
to
mir, ach, Je - su, ach so komm
me, Je - sus, Je - sus, come
95
mir, Je - su, ach so komm, so komm zu mir,
me, Je - sus, Je - sus, come, come Thou to me,
zu mir, ach so komm zu mir,
to me, Je - sus, come to me,
100
Je - su, ach so komm, Je - su, ach so
Je - sus, Je - sus, come, Je - sus, Je - sus,
Ach so komm zu mir,
Je - sus, come to me,
tr

105
komm zu mir, Je - su, ach so komm
come to me, Je - sus, Je - sus, come
Je - su, ach so komm zu mir, Je -
Je - sus, Je - sus, come to me, Je -
110
, ach, Je - su, komm, ach, Je - su, ach
, Je - sus, come, Je - sus,
- su, ach so komm
- sus, Je - sus, come
115
komm zu mir, ach so
come to me, Je - sus,
zu mir, Je - su, ach so komm,
to me, Je - sus, Je - sus, come,

120
komm zu mir,
come to me,
Ach so komm zu
Je - sus, come to
komm zu mir,
come to me,
Je - su, ach so komm!
Je - sus, Je-sus, come!
126
mir!
me!
Ach, wenn
Ah, when
131
Ach, wenn kömmt der
Ah, when comes our
wird die Zeit er-schei-nen, wenn, ach, wenn wird die Zeit, die
comes to us sal-va-tion, when, ah, when comes to us, to

136
Trost ___ der Sei - nen, wenn, ach, wenn, kömmt der Trost ___
con - so - la - tion, when, ah, when comes at last ___
Zeit ___ er - schei - nen, wenn, ach, wenn wird die Zeit er -
us ___ sal - va - tion, when, ah, when comes to us sal -
141
___, der Trost der Sei - nen, ach, wenn kömmt der Trost der Sei - nen, wenn,
___ our con - so - la - tion, ah, when comes our con - so - la - tion, when,
schei - nen, wenn, ach, wenn wird die Zeit ___, die Zeit er -
va - tion, when, ah, when comes to us ___, to us sal -
146
ach, wenn, ach, wenn kömmt der
ah, when, ah, when comes our
Alto
schweigt, schweigt, er ist schon würk - lich hier, schweigt, schweigt,
peace, peace, He soon will come to thee, peace, peace,
schei - nen, ach ___, wenn, ach, wenn wird
va - tion, ah ___, when, ah, when comes

151
Trost der Sei-nen,
con - - so - la - tion,
ach, wenn kömmt der
ah, when comes our
schweigt, schweigt, er ist schon würk - lich hier, schweigt, schweigt,
peace, peace, He soon will come to thee, peace, peace,
die Zeit er - schei-nen, ach, wenn wird
to us sal - va - tion, ah, when comes
156
Trost der Sei - nen, ach,
con - - so - la - tion, ah,
schweigt, schweigt, er ist schon würk - lich hier, er ist schon würk - lich hier,
peace, peace, He soon will come to thee, He soon will come to thee,
die Zeit er - schei - nen, ach,
to us sal - va - tion, ah,

162
wenn kömmt der Trost der Sei - - - - - - - - - - -
when comes our con - so - la - - - - - - - - - -
schweigt, er ist schon würk - lich hier,
peace, He soon will come to thee,
wenn wird die Zeit er - schei - - - - - - - - - - -
when comes to us sal - va - - - - - - - - - -
167
- - - - nen!
- - - - tion?
schweigt, schweigt, schweigt, er ist schon würk - lich hier!
peace, peace, peace, He soon will come to thee?
- - - - nen!
- - - - tion?
f
172
tr

52. Recitativo

53. Choral
Soprano
Zwar ist sol - che Her - zens - stu - be wohl kein schö - ner Für - sten - saal,
In my heart of hearts the cham - ber was a gloom - y, drear - y place,
son - dern ei - ne fin - stre Gru - be; doch, so - bald dein Gna - den - strahl
all un - like a roy - al pa - lace. Thou didst fill it with Thy grace,
Alto
Zwar ist sol - che Her - zens - stu - be wohl kein schö - ner Für - sten - saal,
In my heart of hearts the cham - ber was a gloom - y, drear - y place,
son - dern ei - ne fin - stre Gru - be; doch, so - bald dein Gna - den - strahl
all un - like a roy - al pa - lace. Thou didst fill it with Thy grace,
Tenore
Zwar ist sol - che Her - zens - stu - be wohl kein schö - ner Für - sten - saal,
In my heart of hearts the cham - ber was a gloom - y drear - y place,
son - dern ei - ne fin - stre Gru - be; doch, so - bald dein Gna - den - strahl
all un - like a roy - al pa - lace. Thou didst fill it with Thy grace,
Basso
Zwar ist sol - che Her - zens - stu - be wohl kein schö - ner Für - sten - saal,
In my heart of hearts the cham - ber was a gloom - y drear - y place,
son - dern ei - ne fin - stre Gru - be; doch, so - bald dein Gna - den - strahl
all un - like a roy - al pa - lace. Thou didst fill it with Thy grace,
Ob. d'am. I, II
Viol. I, II
Va.
Continuo
9
in den - sel - ben nur wird blin - ken, wird es vol - ler Son - nen dün - ken.
roy - al - ly its walls a - dorn - ing, like the sun - shine in the morn - ing.
in den - sel - ben nur wird blin - ken, wird es vol - ler Son - nen dün - ken.
roy - al - ly its walls a - dorn - ing, like the sun - shine in the morn - ing.
in den - sel - ben nur wird blin - ken, wird es vol - ler Son - nen dün - ken.
roy - al - ly its walls a - dorn - ing, like the sun - shine in the morn - ing.
in den - sel - ben nur wird blin - ken, wird es vol - ler Son - nen dün - ken.
roy - al - ly its walls a - dorn - ing, like the sun - shine in the morn - ing.

VI. Teil · Part VI

Am Epiphaniasfest · Feast of the Epiphany

Herr, wenn die stolzen Feinde schnauben
Lord, when our haughty foes assail us

30
36
tr
42
f
p
Tutti
48 Soprano
Alto
Herr, wenn die stol - zen
Lord, when our haugh - ty
Tenore
Herr, wenn die stol - zen Fein - de schnau -
Lord, when our haugh - ty foes as - sail
Basso
Viol. I
moderatio
solo

55
Herr, wenn die stol - zen Fein - de schnau - - - -
Lord, when our haugh - ty foes as - sail
Fein - de schnau - - - - - - - - - - - - -
foes as - sail
- - - - - - ben, die stol - zen Fein - - - -
us, our foes as - sail
Herr, wenn die
Lord, when our
tr
62
- - - - - - - - ben, die Fein - de schnau-ben,
us, our foes as - sail us,
- ben, die Fein - de schnau - - ben, die stol - zen Fein - de schnau-ben,
us, our foes as - sail us, our haugh - ty foes as - sail us,
- de, Herr, wenn die stol - zen Fein - de schnau-ben, die Fein - de schnau-ben, so
us, Lord, when our haugh - ty foes as - sail us, our foes as - sail us, let
stol - zen Fein - de schnau - - - - - - - - - - - ben,
haugh - ty foes as - sail us,
Trba.I
Tutti
Va.
tutti
solo

69
so gib, daß wir im fe - sten
let not our faith and cou - rage
gib, daß wir im fe - sten Glau - - - - - - ben, im
not our faith and cou - rage fail us, our
Viol.+Ob.II
(Va.con il Tenore)
76
so gib, daß wir im fe - sten Glau - - - - -
let not our faith and cou - rage fail
Glau - - - - - - - ben, im fe - - - - - - -
fail us, our cou - - - - - - -
fe - - - - - - - sten Glau - ben, gib, daß wir im
cou - - - - - - rage fail us, let not faith and
so gib, daß
let not our
Viol.+Ob.I
(Viol.+Ob.II con il Alto)
-Trba.I

82
- - - ben, im fe - - - - - - - sten Glau - -
us, our cou - - - - - - rage fail
- sten Glau - ben, gib, daß wir im fe - sten Glau - -
- rage fail us, let not faith and cou - rage fail
fe - sten Glau-ben, im fe - sten Glau - - - ben, im fe - sten
cou - rage fail us, our cou - rage fail us, our cou - rage
wir im fe - sten Glau - - - - - - - - - - - -
faith and cou - rage fail
+ Trbe. e Timp.
tutti
88
- ben nach dei - ner Macht und
us but with Thy might and
- ben nach dei - ner Macht und Hül - fe sehn, nach dei - ner
us but with Thy might and help be near, but with Thy
Glau - ben nach dei - ner Macht und
fail us but with Thy might and
- ben nach dei - ner Macht und Hül - fe sehn, nach dei - ner Macht
us but with Thy might and help be near, but with Thy might
-Trbe.
Ob. con il coro
Archi

95
Hül - fe sehn, nach dei - ner Macht und Hül - fe, nach dei - ner
help be near, but with Thy might and help be near, with Thy
Macht, nach dei - ner Macht und Hül - fe sehn, dei - ner
might, but with Thy might and help be near, with Thy
Hül - fe sehn, nach dei - ner Macht und Hül - fe sehn, nach
help be near, but with Thy might and help be near, but
und Hül - fe sehn, nach dei - ner Hül - fe sehn, nach dei - ner
and help be near, but with Thy help be near, but with Thy
102
Hül - fe sehn, so gib, daß
help be near, let not our
Hül - fe sehn, nach dei - ner Macht und Hül - fe, so
help be near, but with Thy might be near us, let
dei - ner Macht und Hül - fe sehn, nach dei - ner Macht und Hül - fe, so
with Thy might and help be near, but with Thy might be near us, let
Macht und Hül - fe sehn, nach dei - ner Macht und Hül - fe, so
might and help be near, but with Thy might be near us, let
Trba.I

109
wir im fe - sten Glau - - ben nach dei - ner Macht und
faith and cou - rage fail us but with Thy might and
gib, daß wir im fe - sten Glau - ben nach dei - ner Macht und
not our faith and cou - rage fail us but with Thy might and
gib, daß wir im fe - sten Glau - ben nach dei - ner Macht und
not our faith and cou - rage fail us but with Thy might and
gib, daß wir im fe - sten Glau - ben nach dei - ner Macht und
not our faith and cou - rage fail us but with Thy might and
115
Hül - fe sehn!
help be near!
Wir
On
Ob.+Viol. I
p
Viol. II, Va.
f
Tutti
Archi
solo

121
Wir wol - len dir al - -
On Thee we place our
wol - len dir al - - lein ver- trau - - - - - - - - - - -
Thee we place our firm re - li - - - - - - - - - - -
Ob.
127
Wir wol - len dir al - - lein ver- trau - -
On Thee we place our firm re - li - - -
lein ver - trau - - - - - - - - - - - - en, so
firm re - li - - - - - - - - - - - ance, so
- - - - - en, so kön - nen wir den schar - fen Klau - en des
- - - - - ance, so to our foes we bid de - fi - ance and

133
Wir wol - len dir al - -
On Thee we place our
kön - nen wir den schar - fen Klau - en des Fein - des un - ver -
to our foes we bid de - fi - ance and face them bold and
Fein - des un - ver - sehrt ent - gehn, un - ver - sehrt ent - gehn
face them bold and free from fear, bold and free from fear
139
lein ver - trau - - - -
firm re - li - - - -
- en, so kön - nen wir den schar - fen
- ance, so to our foes we bid de -
sehrt ent - gehn; wir wol - len dir al - lein ver -
free from fear; on Thee we place our firm re -
wir wol - len dir al - lein ver - trau - - - en,
on Thee we place our firm re - li - - - ance,
Archi
Ob.

144
en, so kön - nen
ance, so to our
Klau - en des Fein - des un - ver - sehrt ent - gehn. so kön - nen
fi - ance and face them bold and free from fear, so to our
trau - en, wir wol - len dir al - lein ver - trau - en, so kön - nen
li - ance, on Thee we place our firm re - li - ance, so to our
so kön - nen wir den schar - fen Klau - en des Fein - des un - ver -
so to our foes we bid de - fi - ance and face them bold and
+Trba.I
150
wir den schar - fen Klau - en des Fein - des un - ver - sehrt ent -
foes we bid de - fi - ance and face them bold and free from
wir den schar - fen Klau - en des Fein - des un - ver - sehrt ent -
foes we bid de - fi - ance and face them bold and free from
wir den schar - fen Klau - en des Fein - des un - ver - sehrt ent -
foes we bid de - fi - ance and face them bold and free from
sehrt ent - gehn, des Fein - des un - ver - sehrt ent -
free from fear, and face them bold and free from
-Trbe.
Tutti

156
gehn,
fear,
un - ver - sehrt ent - gehn.
bold and free from fear.
Trba. I
Ob.
Archi senza continuo
162
Herr, wenn die stol - zen Fein - de
Lord, when our haugh - ty foes as -
Tutti
+Trbe. II, III, Timp.
tutti

168
schnau - - - - - - - - - ben, Herr, wenn die
sail us, Lord, when our
schnau-ben, Herr, wenn die stol - zen Fein - de schnau - - - - -
sail us, Lord, when our haugh - ty foes as - sail
schnau-ben, Herr, wenn die
sail us, Lord, when our
schnau-ben,
sail us,
Trbe.
174
stol - zen Fein - de schnau - - - - ben, die Fein - de
haugh - ty foes as - sail us, our foes as -
- - - - - ben, Herr, wenn die stol - zen Fein - de
us, Lord, when our haugh - ty foes as -
stol - zen Fein - de schnau - - - - - - - -
haugh - ty foes as - sail
Herr, wenn die stol - zen Fein - de
Lord, when our haugh - ty foes as -

180
schnau - ben, so gib, daß wir im fe - sten Glau - ben
sail us, let not our faith and cou - rage fail us
schnau - ben, so gib, daß wir im fe - sten Glau - ben
sail us, let not our faith and cou - rage fail us
- ben, so gib, daß wir im fe - sten Glau - ben
us, let not our faith and cou - rage fail us
schnau - ben, so gib, daß wir im fe - sten Glau - ben nach dei - ner
sail us, let not our faith and cou - rage fail us but with Thy
+ Trbe.
Ob. I
solo
186
nach dei - ner Macht und Hül - fe
but with Thy might and help be
Macht und Hül - fe sehn, so gib, daß wir im fe - sten
might and help be near, let not our faith and cou - rage
Ob. II
Archi con il coro

192
nach dei - ner
but with Thy
sehn, nach deiner Macht und Hül - fe sehn, so gib, daß
near, but with Thy might and help be near, let not our
Glau - ben nach dei - ner Macht, nach dei-ner Macht und Hül - - -
fail us but with Thy might, but with Thy might and help
198
nach dei - ner Macht und Hül - fe
but with Thy might and help be
Macht und Hül - fe sehn, nach dei-ner Macht und Hül - fe
might and help be near, but with Thy might and help be
wir im fe - sten Glau - - ben nach dei-ner Macht und
faith and cou - rage fail us but with Thy might and
- - - - - fe sehn, so gib, daß wir im fe-sten Glau-
be near, let not our faith and cou-rage fail
II.
I.

204

sehn, so gib ___, daß wir im fe - sten Glau - ben nach ___ dei - ner
near, let not ___ our faith and cou - rage fail us but ___ with Thy

sehn, so gib, daß ___ wir im ___ fe - sten Glau - ben nach dei - ner
near, let not our ___ faith and ___ cou - rage fail us but with ___ Thy

Hül - fe sehn, daß wir im fe - sten Glau - ben nach dei - ner
help be near, not faith and cou - rage fail us but with Thy

- ben nach dei - ner Macht ___ und Hül - - - fe sehn, nach dei - ner
___ us but with Thy might ___ and help ________ be near, but with ____ Thy

+Tromba I

Viol. I
(Archi sempre con il coro)

+Trbe. II, III, Timp.

tutti

210

Macht und Hül - fe sehn, dei - ner Hül - fe
might and help be near, with Thy help ____ be

Macht und Hül - fe sehn, dei - ner Hül - fe
might and help be near, with Thy help ____ be

Macht und Hül - fe sehn, dei - ner Hül - fe
might and help be near, with Thy help be

Macht ___ und Hül - fe sehn, dei - ner Hül - fe
might ___ and help be near, with Thy help ____ be

Ob.+Viol. I

p

Viol. II, Va.

f

Tutti

216
sehn; Herr, wenn die stol - zen Fein - - de schnau - ben, so gib, daß
near; Lord, when our haugh - ty foes as - sail us, let not our
sehn; Herr, wenn die stol - zen Fein - de schnau - ben, so gib, daß
near; Lord, when our haugh - ty foes as - sail us, let not our
sehn; Herr, wenn die stol - zen Fein - de schnau - ben, so gib, daß
near; Lord, when our haugh - ty foes as - sail us, let not our
sehn; Herr, wenn die stol - - - zen Fein-de schnau - ben, so gib, daß
near; Lord, when our haugh - - - ty foes as - sail us, let not our
-Trba. II, III
222
wir im fe - - - sten Glau - ben, im fe - - - - - - -
faith and cou - - rage fail us, our cou - - - - - - -
wir im fe - sten Glau - ben nach dei - ner Macht und Hül - fe
faith and cou - rage fail us but with Thy might and help be
wir im fe - sten Glau - ben nach dei - ner Macht und Hül - fe
faith and cou - rage fail us but with Thy might and help be
wir im fe - sten Glau - ben nach dei - ner Macht und Hül - fe
faith and cou - rage fail us but with Thy might and help be

228
- - - - - sten Glau - - - - - ben nach dei - ner
- - - - - rage fail us but with Thy
sehn, so gib, daß wir im fe - sten Glau - ben nach dei - ner
near, let not our faith and cou - rage fail us but with Thy
sehn, so gib, daß wir im fe - sten Glau - ben nach dei - ner
near, let not our faith and cou - rage fail us but with Thy
sehn, so gib, daß wir im fe - sten Glau - ben nach dei - ner
near, let not our faith and cou - rage fail us but with Thy
234
Macht und Hül - fe sehn, nach dei - ner Macht und Hül - fe sehn!
might and help be near, but with Thy might and help be near!
Macht und Hül - fe sehn, nach dei - ner Macht und Hül - fe sehn!
might and help be near, but with Thy might and help be near!
Macht und Hül - fe sehn, nach dei - ner Macht und Hül - fe sehn!
might and help be near, but with Thy might and help be near!
Macht und Hül - fe sehn, nach dei - ner Macht und Hül - fe sehn!
might and help be near, but with Thy might and help be near!
Tutti

55. Evangelista (Tenore, Basso [Herodes])

56. Recitativo

57. Aria (Soprano)
Largo e staccato
Ob. d'am. I
Viol. I, II
Va.
Continuo
p
simile
f
Soprano
Nur ein Wink von sei - nen Hän - den stürzt ohn-mächt - ger Men - schen
He whom God has not be - friend - ed down in ru - in soon will
Ob. d'am.
p Viol.II, Va.
Macht, nur ein Wink von sei - nen Hän - den stürzt ohn - mächt - ger Men - schen
fall: He whom God has not be - friend - ed down in ru - in soon will
+Viol. I
p

20
Macht. Hier wird al - le Kraft ver - lacht
fall; fu - tile are his ef - forts all
23
, al - le Kraft ver - lacht!
, are his ef - forts all.
f
27
tr
31
tr
34

37
40
Spricht der Höch - ste nur ein Wort, spricht
Speaks the High - est but a word, speaks
Ob. d'am. p
Viol. II, Va. p
43
der Höch - ste nur ein Wort, sei - ner Fein - de Stolz zu
the High - est but a word, ar - ro - gance and pride are
+Viol. I p
46
en - den, o, so müs - sen sich so - fort, so - fort, so -
end - ed, Think ye now, ye who have erred, be think ye
Ob. d'am.
Viol. II, Va.
49
fort, so - fort Sterb - li - cher Ge - dan - ken wen -
who have erred, that that your faults may yet mend -
+Viol. I

52
den;
ed,
f
f
55
spricht der Höch - ste nur ein
speaks the High - est but a
p Viol. II, Va.
p
58
Wort, spricht der Höch - ste nur ein Wort, nur ein Wort, sei - ner
word, speaks the High - est but a word, but a word, ar - ro -
+ Viol. I
p
p
Ob. d'am.
61
Fein - de Stolz zu en - den, o, so müs - sen sich so -
gance and pride are end - ed, Think ye now, ye who have
Ob. d'am.
Viol. II, Va.

64
fort, o, so müs - sen sich so - fort Sterb - li -
erred, be think ye, ye who have erred, that that
+ Viol. I
67
cher Ge - dan - ken wen - den.
your faults may yet mend - ed.
f
71
p
75
f
78

81
85
89
93
58. Evangelista
Recitativo
Tenore
Continuo
Als sie nun den Kö - nig ge - hö - ret hat - ten, zo - gen sie hin. Und
When the Wise Men heard what the King had said to them they de - parted. And
3
sie - he, der Stern, den sie im Mor - gen - lan - de ge - se - hen hat - ten,
lo ___, the star which they had seen and fol - lowed in the east ___,

5
ging für ih - nen hin, bis daß er kam und stund o - ben ü - ber,
went be - fore them until it came, and stood shi - ning o - ver
7
da das Kind - lein war. Da sie den Stern sa - hen, wur - den sie hoch er -
where the young child was. When the Wise Men saw this, with ex - ceeding joy re -
9
freu - et und gin - gen in das Haus und fun - den das Kind - lein mit Ma -
joiced they, and went with - in the house, and saw the young child, and with the
11
ri - a, sei - ner Mut - ter, und fie - len nie - der und be - te - ten es an und tä - ten
child His moth - er Ma - ry, and fal - ling down at His feet they wor-shipped Him, and from the
14
ih - re Schät - ze auf und schenk - ten ihm Gold, Weih - rauch und Myr - rhen.
trea - sure they had brought they gave to Him gold, frank-in-cense and myrrh.

59. Choral

Soprano
Ich steh an dei - ner Krip - pen hier, o Je - su - lein, mein Le - ben;
I stand be - side Thy cra - dle here, O Je - sus - child, to ten - der
ich kom - me, bring und schen - ke dir, was du mir hast ge - ge - ben.
the all which Thou hast gi - ven me which I to Thee sur - ren - der.

Alto
Ich steh an dei - ner Krip - pen hier, o Je - su - lein, mein Le - ben;
I stand be - side Thy cra - dle here, O Je - sus - child, to ten - der
ich kom - me, bring und schen - ke dir, was du_ mir hast ge - ge - ben.
the all which Thou hast gi - ven me which I_ to Thee sur - ren - der.

Tenore
Ich steh an dei - ner Krip - pen hier, o Je - su - lein, mein Le - ben;
I stand be - side Thy cra - dle here, O Je - sus - child, to ten - der
ich kom - me, bring und schen - ke dir, was du mir hast ge - ge - ben.
the all which Thou hast gi - ven me which I to Thee sur - ren - der.

Basso
Ich steh an dei - ner Krip - pen hier, o Je - su - lein, mein Le - ben,
I stand be - side Thy cra - dle here, O Je - sus - child, to ten - der
ich kom - me, bring und schen - ke dir, was du mir hast ge - ge - ben.
the all which Thou hast gi - ven me, which I to Thee sur - ren - der.

Ob. I, II
Viol. I, II
Va.
Continuo

9

Soprano
Nimm hin! es ist mein Geist und Sinn, Herz, Seel und Mut, nimm
Take Thou my spi - rit, take my soul, my heart and mind in

Alto
Nimm hin! es ist mein Geist und Sinn, Herz, Seel und Mut, nimm
Take Thou my spi - rit, take my soul, my heart and mind in

Tenore
Nimm hin! es ist mein Geist und Sinn, Herz, Seel und Mut, nimm
Take Thou my spi - rit, take my soul, my heart and mind in

Basso
Nimm hin! es ist mein Geist und Sinn, Herz, Seel und Mut, nimm
Take Thou my spi - rit, take my soul, my heart and mind in

12
al - les hin, und laß dirs wohl ge - fal - - - len!
Thy con - trol, and gra - cious - ly re - ceive them.
al - les hin, und laß dirs wohl ge - fal - - - len!
Thy con - trol, and gra - cious - ly re - ceive them.
al - les hin, und laß dirs wohl ge - fal - - - len!
Thy con - trol, and gra - - cious - ly re - ceive them.
al - les hin, und laß dirs wohl ge - fal - - - len!
Thy con - trol, and gra - cious - ly re - ceive them.
60. Evangelista
Recitativo
Tenore
Continuo
Und Gott be - fahl ih - nen im Traum, daß sie sich nicht soll - ten wie - der
And be - ing warned of God in a dream by which they where told that they should
3
zu He - ro - des len - ken, und zo - gen durch ei - nen an - dern Weg wie - der in ihr Land.
not re - turn to He - rod, they went back a - gain an - oth - er way in - to their own land.
attacca

61. Recitativo

11
Ich weiß ge - wiß, er lie - bet mich, mein Herz liebt ihn auch in - nig -
Full well I see, He lov - eth me; my heart is His, yea, ut - ter -
p
13
lich und wird ihn e - wig eh - ren. Was könn - te mich nun für ein
ly, Him will I ev - er bless. What e - ne - my can now de -
f
p
15
Feind bei sol - chem Glück ver - seh - ren! Du, Je - su,
stroy this per - fect hap - pi - ness? Thou, Je - sus,
f
p
f
p
17
adagio
bist und bleibst mein Freund; und werd ich ängst - lich zu dir flehn: Herr,
art my friend and joy; when I in an - guish cry to Thee; Lord,
19
hilf, Herr, hilf!, so laß mich Hül - fe sehn!
help! Lord, help! my Hel - per, help Thou me.

62. Aria (Tenore)

28
mir, mein Schatz, mein Hort ist hier bei mir; nun
near, my Joy, my Life to me is near; with
33
mögt ihr stol - zen Fein - de schrek - ken; was könnt ihr
fear the brag - gart foes are sha - ken; but they no
38
mir für Furcht er - wek - - - - ken? Mein Schatz, mein
lon - ger fear a - wa - - - - ken, my Joy, me
43
Hort ist hier, mein Schatz, mein Hort ist hier bei
Life to me, my Joy, my Life to me is

48
mir.
near.
f
54
tr
59
64
p
Ihr mögt euch noch so grim - mig stel - len, droht
Tho' they by false - - hood would be - tray me, and
69
nur, mich ganz und gar zu fäl - len, doch seht! mein
in their fu - - - ry seek to slay me, be - hold, my

74
Hei - land woh - net hier —, doch seht —! mein Hei - land woh - net
Sa - viour dwell - eth here —, be - hold —, my Sa - viour dwell - eth
80
hier.
here.
II.
I.
II.
I.
II.
f
86
Ihr mögt — euch noch — so
Tho' they — by false - - hood
p
91
grim - mig stel-len, droht nur —, mich ganz — und gar zu fäl - len, doch
would be - tray me, and in — their fu - - ry seek to slay — me, be -

97
seht! Mein Hei - land woh - - net hier, doch seht! mein
hold, my Sa - viour dwell - - - eth here, be - hold, my
102
adagio
tr
a tempo
Hei - land woh - net hier.
Sa - viour dwell - eth here.
I.
f
108
II.
113
tr
II.
I.
II.
118
Nun mögt ihr stol - zen
With fear the brag - gart
p
p

123
Fein - de schrek - ken; was könnt ihr mir für Furcht er -
foes are sha - ken; but they no lon - ger fear a -
II.
I.
128
wek - ken? Mein Schatz, mein Hort ist hier bei mir, mein
wa - ken, my Joy, my Life to me is near, my
I.
II.
133
Schatz, mein Hort ist hier bei mir; nun mögt ihr
Joy, my Life to me is near; with fear the
138
stol - zen Fein - de schrek - ken; was könnt ihr mir für
brag - gart foes are sha - ken; but they no lon - ger
II.
I.
I.
II.

143
Furcht er - wek - ken? Mein Schatz, mein Hort ist hier bei
fear a - wa - ken, my Joy, my Life to me is
148
mir, mein Schatz, mein Hort ist hier bei mir, mein
near, my Joy, my Life to me is near, my
II.
I.
153
adagio
Schatz, mein Hort ist hier bei mir, mein Schatz, mein Hort ist
Joy, my Life to me is near, my Joy, my Life to
I.
II.
159
a tempo
hier bei mir.
me is near.
f
165
II.
I.

171
I.
II.
63. Recitativo à 4
A tempo
Soprano
Alto
Tenore
Basso
Continuo
Was will der Höl - len Schrek-ken nun
The ev - il, sin - ful world is past
Was will uns Welt und Sün - de tun
The fear of Hell is gone at last
3
da wir in Je - su Hän - den ruhn
we bide with Je - sus firm and fast
da wir in Je - su Hän - den ruhn
we bide with Je - sus firm and fast
Was will der Höl - len Schrek - ken
The ev - il, sin - ful world is

5
, in Je - su
, with Je - sus
Hän - - - - den ruhn
firm and fast
,
,
da wir in Je - su Hän - den
we bide with Je - sus firm and
was will uns Welt und Sün - de
the fear of Hell is gone at
tun,
last
nun, der Höl - len
past, the world of
Schrek - ken, da wir in
ev - il, we bide with
7
, da wir in Je - su
, we bide with Je - sus
Hän - den ruhn?
firm and fast.
ruhn, da wir in Je - su
fast, we bide with Je - sus
Hän - den ruhn?
firm and fast.
da wir in Je - su
we bide with Je - sus
Hän - den ruhn?
firm and fast.
Je - su Hän - den ruhn, in Je - su
Je - sus firm and fast, with Je - sus
Hän - den ruhn?
firm and fast.

64. Choral

Trba. I, II, III
Timpani
Ob. I, II
Viol. I, II
Va.
Continuo
Trba. I
Ob. I
Ob. II
(20)
tr
Trba. I
p
Tutti
3 (21)
Ob.
Trba. I
f
Tutti
Trba. I
Ob.
Archi
Tutti
6 (24)
Ob.
Archi
Tutti
simile
8 (26)
tr
10 (28)

12 (30)
Nun seid ihr wohl ge-
The tri-umph is com-
denn Chri-stus hat zer-
has van-quished and de-
Nun seid ihr wohl ge-
The tri-umph is com-
denn Chri-stus hat zer-
has van-quished and de-
—Trbe.
Ob. con il Soprano
Archi
14 (32)
ro-chen
ple-ted,
bro-chen,
feat-ed
ro-chen
ple-ted,
bro-chen,
feat-ed
Trba. I
tr
Ob. I
Ob. II

16 (34)
an
eu - rer
Fein - de
Our
Sa - viour,
Christ the
was
euch
zu - wi - der
the
Fiend and all his
an
eu - rer
Fein - de
Our
Sa - viour,
Christ the
was
euch
zu - wi - der
the
Fiend and all his
–Trba. I
Ob. con il Soprano
Archi
18 (36)
Schar
Lord,
war.
horde.
Schar,
Lord,
war
horde.
Trba. I
Ob. I
Ob. II

38
Trba. I
Tutti
Ob.
40
Tod,
Sin,
Teu - fel,
Death and
Sünd und
Hell and
Tod,
Sin,
Teu - fel,
Death and
Sünd und
Hell and
–Trbe.
Ob. con il Soprano
Archi
Trba. I

42
Höl - - - le
Sa - - - tan
Höl - - - le
Sa - - - tan
Trba. I
Tutti
Ob.
Archi
Tutti
44
sind ganz und gar ge - schwächt;
the Faith - ful may de - - fy,
sind ganz und gar ge - schwächt;
the Faith - ful may de - - fy,
Ob. con il Soprano
Ob.
Archi

46
Viol. I, II
Viol. I
+Trbe.
+Va.
Viol. II
48
bei
God
Gott hat sei - ne
sum - mons His e -
bei
God
Gott hat sei - - - ne
sum - - - mons His e -
Ob. con il Soprano
Ob.
Trba. I
Ob.
Va.
50
Stel - - - le
lect - - - ed,
Stel - - - le
lect - - - ed,
Trba. I
Ob. I
+Archi
Ob. II

52
tr
Ob.
Viol. I
Viol. II
Va.
54
das
to
das
to
56
mensch - li - che Ge - schlecht.
Him in Hea - ven High.
mensch - li - che Ge - schlecht.
Him in Hea - ven High.
Trba. I
Ob. I

58
Trba. I
Tutti
Ob.
60
Trba. I
Tutti
Trba. I
Ob.
Archi
Tutti
62
Ob.
Archi
Tutti
simile
64
66

Klavierauszüge zu Kantaten, Messen, Oratorien
Vocal Scores to Cantatas, Masses, Oratorios

BÄRENREITER URTEXT

Eine Auswahl · A Selection

Johann Sebastian Bach

Kantaten / Cantatas

- BWV 1: Wie schön leuchtet der Morgenstern BA 10 001-90, TP 1 001
- BWV 4: Christ lag in Todes Banden. BA 10 004-90, TP 1 004
- BWV 6: Bleib bei uns, denn es will Abend werden. BA 10 006-90
- BWV 12: Weinen, Klagen, Sorgen, Zagen. BA 10 012-90, TP 1 012
- BWV 18: Gleichwie der Regen und Schnee (dt./engl.). BA 10 018-90, TP 1 018
- BWV 21: Ich hatte viel Bekümmernis. BA 10 021-90, TP 1 021
- BWV 31: Der Himmel lacht! Die Erde jubilieret. BA 10 031-90, TP 1 031
- BWV 36: Schwingt freudig euch empor. BA 10 036-90, TP 1 036
- BWV 39: Brich dem Hungrigen dein Brot. BA 10 039-90, TP 1 039
- BWV 45: Es ist dir gesagt, Mensch, was gut ist. BA 10 045-90, TP 1 045
- BWV 51: Jauchzet Gott in allen Landen. BA 10 051-90, TP 1 051
  BWV 61. Nun komm, der Heiden Heiland. BA 10 061-90, TP 1 061
- BWV 62: Nun komm, der Heiden Heiland. BA 10 062-90, TP 1 062
- BWV 68: Also hat Gott die Welt geliebt. BA 10 068-90
- BWV 78: Jesu, der du meine Seele (dt./engl.) BA 10 078-90
  BWV 80: Ein feste Burg ist unser Gott (dt./engl.). BA 10 080-90, TP 1 080
- BWV 91: Gelobet seist du, Jesu Christ. BA 10 091-90, TP 1 091
- BWV 106: Gottes Zeit ist die allerbeste Zeit (Actus tragicus). BA 10 106-90, TP 1 106
- BWV 130: Herr Gott, dich loben alle wir. BA 10 130-90, TP 1 130
- BWV 132: Bereitet die Wege, bereitet die Bahn. BA 10 132-90
- BWV 134: Ein Herz, das seinen Jesum lebend weiß. BA 10 134-90
- BWV 140: Wachet auf, ruft uns die Stimme (dt./engl.). BA 10 140-90, TP 1 140
- BWV 143: Lobe den Herrn, meine Seele (dt./engl.). BA 10 143-90, TP 1 143
- BWV 147: Herz und Mund und Tat und Leben. BA 10 147-90, TP 1147
- BWV 158: Der Friede sei mit dir. BA 10158-90
- BWV 166: Wo gehest du hin. BA 10 166-90
- BWV 172: Erschallet, ihr Lieder. BA 10 172-90, TP 1 172
- BWV 175: Er rufet seinen Schafen mit Namen (dt./engl.). BA 10 175-90, TP 1 175
- BWV 176: Es ist ein trotzig und verzagt Ding. BA 10 176, TP 1 176
- BWV 208: Was mir behagt, ist nur die muntre Jagd. BA 10 208-90
- BWV 211: Schweigt stille, plaudert nicht BA 10211-90, TP 1211
- BWV 212: Mer hahn en neue Oberkeet BA 10212-90, TP 1212

Johannes-Passion BWV 245 (dt./engl.) BA 5037-90, TP 197

Matthäus-Passion BWV 244 (dt./engl.) BA 5038-90, TP 196

Matthäus-Passion, Frühfassung BWV 244b (dt/engl.). BA 5099-90

Markus-Passion BWV 247 (dt.). BA 5209-90

Magnificat D-Dur BWV 243 mit den transp. 4 Einlagesätzen aus der Es-Dur-Fassung (BWV 243a). BA 5103-90, TP 2

Magnificat Es-Dur BWV 243a. BA 5208-90, TP 58

Motetten BWV 225-230. BA 5193, BA 5193-90

Lutherische Messen
F-Dur BWV 233. BA 5182a / A-Dur BWV 234. BA 5183-90 / g-Moll BWV 235. BA 5184-90 / G-Dur BWV 236. BA 5185-90

Messe h-Moll BWV 232. NBArev. BA 5935-90, TP 1232

Frühfassungen der h-Moll-Messe. Missa BWV 232^{I} (Fassung von 1733), Credo in unum Deum BWV 233^{II}/1 (Frühfassung in G), Sanctus BWV 232^{III} (Fassung von 1724). BA 5302-90

Weihnachts-Oratorium BWV 248 (dt./engl.). BA 5014-90, TP 85

Hector Berlioz

Grande messe des morts (Requiem) op. 5. BA 5449-90, TP 332

L'enfance du Christ (franz./dt.). BA 5451-90

Messe solennelle. BA 5463-90

Te Deum op. 22. BA 5782-90

Georg Friedrich Händel

Athalia HWV 52 (engl./tw. ital.). BA 4082-90

Alexander's Feast (engl.). BA 4001-92

Dixit dominus (lat.). BA 10704-90

Esther. BA 4047-90

Gloria. BA 4248-90

Israel in Egypt. BA 4063-90

Jephtha. BA 4014-90

Der Messias (dt./engl.). BA 4012-90, TP 175

Ode für den Geburtstag der Königin Anna (dt./engl.). BA 4007-90

Saul (engl./dt.). BA 4020-90

Theodora (engl.). BA 4085-90

Joseph Haydn*

Die Schöpfung Hob. XXI:2. BA 4648-90

Die Jahreszeiten Hob. XXI:3. BA 4647-90

Missa brevis in F Hob. XXII:1. BA 4644-90

Messen / Masses
- Orgelsolomesse Hob. XXII:4. BA 4646-90
- Cäcilienmesse Hob. XXII:5. BA 4643-90
- Nicolaimesse Hob. XXII:6. BA 4645-90
- Kleine Orgelmesse Hob. XXII:7. BA 4653-90, TP 95
- Mariazeller Messe Hob. XXII:8. BA 4654-90
- Pauken-Messe Hob. XXII:9. BA 4652-90
- Heiligmesse Hob. XXII:10. BA 4651-90
- Nelson-Messe Hob. XXII:11. BA 4660-90
- Theresien-Messe Hob. XXII:12. BA 4661-90, TP 99
- Schöpfungs-Messe Hob. XXII:13. BA 4656-90
- Harmoniemesse Hob. XXII:14. TP 97

Die sieben letzten Worte unseres Erlösers am Kreuze. Vokalfassung Hob. XX:2. BA 4655-90

Stabat Mater Hob. XXbis. BA 4642-90

Wolfgang Amadeus Mozart

Ave verum corpus KV 618. BA 4946-90

Der Messias. Oratorium von G. F. Händel, bearb. von W. A. Mozart KV 572. BA 4529-90

Dixit et Magnificat KV 193 (186^{g}). BA 5340-90
Exsultate, jubilate KV 165 (158^{a}) mit zusätzlichem Material aus der Salzburg-Fassung. BA 4897-90

Messe in c KV 427 (417^{a}). BA 4846-90, TP 255

Missa brevis in G KV 49 (47^{d}). BA 4769-90

Missa brevis in d KV 65 (61^{a}). BA 5341-90

Missa in C »Dominicus-Messe« KV 66. BA 4791-90

Missa in c »Waisenhausmesse« KV 139. BA 4858-90

Missa brevis in G KV 140. BA 4736-90

Missa in C »Trinitatismesse« KV 167. BA 4783-90

Missa brevis in F KV 192 (186^{f}). BA 4770-90

Missa brevis in D KV 194 (186^{h}). BA 5342-90

Missa in C »Spatzen-Messe« KV 220 (196^{b}). BA 5343-90

Missa in C »Große Credomesse« KV 257. BA 4859-90

Missa in C »Orgelsolo-Messe« KV 259. BA 4852-90

Missa in C »Krönungs-Messe« KV 317. BA 4880-90

Requiem d-Moll KV 626. BA 4538-90, TP 152

Vesperae solennes de Dominica KV 321. BA 4893-90

Vesperae solennes de Confessore KV 339. BA 4894-90

Gioachino Rossini

Petite Messe solennelle. BA 10501-90

Franz Schubert

Messe in F - D 105. BA 5624-90
Missa in B - D 324. BA 5621-90
Missa in C - D 452. BA 5622-90
Missa in As - D 678. BA 5623-90

Georg Philipp Telemann

Der jüngste Tag wird bald sein Ziel erreichen TVWV 1:301. BA 7671-90

Die Hirten bei der Krippe zu Bethlehem. BA 5852-90

Gelobet seist du, Jesu Christ TWV 1:612. BA 7676-90

Nun komm der Heiden Heiland TWV 1:1174. BA 7677-90

St. John Passion 1745 »Ein Lämmlein geht und trägt die Schuld« TWV 5:30. BA 5310-90

Vollständige Aufführungsmateriale sind lieferbar / Complete performance material is available
TP = Studienpartitur / Study score

Bärenreiter
www.baerenreiter.com

*Urtextausgabe der im G. Henle Verlag München erschienenen Gesamtausgabe Joseph Haydn Werke / Urtext edition from the Complete Edition Joseph Haydn Works, published by G. Henle Verlag, Munich

A 191b · 1706

BÄRENREITER

CHOR & ORGEL · CHOIR & ORGAN

Die Reihe »CHOR & ORGEL«
präsentiert große Chorwerke in Bearbeitungen für Soli, Chor und Orgel. Sie orientiert sich unter Berücksichtigung der Quellenlage an der Tradition zeitgenössischer Originalbearbeitungen und bietet den Orchesterpart als gut spielbare, wirkungsvolle Orgeleinrichtung auf drei Systemen.

The Bärenreiter »CHOIR & ORGAN« Series
presents great choral works in arrangements for soloists, choir and organ; no orchestra is needed. The original orchestral parts have been transcribed into easy-to-play organ reductions whereby the contemporary tradition of such arrangements has been taken into consideration. In some cases, the original organ versions by the composer have been used. The organ parts are presented on three staves. The choir and solo parts always remain true to the original. One edition can be used by soloists, singers and organist alike.

Carl Philipp Emanuel Bach
Magnificat Wq 215
BA 7517

Johann Sebastian Bach
Chorsätze aus dem Weihnachts-Oratorium Teil I-III / Choral Movements from the Christmas Oratorio Part I-III BWV 248
BA 7525

Festliche Chorsätze aus Kantaten
BA 7527

Anton Bruckner
Te Deum
BA 7524

Antonín Dvořák
Messe in D / Mass in D major op. 86
BA 7511

Gabriel Fauré
Requiem op. 48
BA 7513

Wolfgang Amadeus Mozart
Missa solemnis in c »Waisenhausmesse« KV 139 / Missa solemnis in C minor »Waisenhaus Mass« K. 139
BA 7521

Kleinere Kirchenwerke / Shorter Sacred Works
BA 7523

Missa brevis in C »Spatzenmesse« KV 220 / Missa brevis in C major »Sparrow Mass« K. 220
BA 7522

Missa brevis in C »Credomesse« KV 257 Missa brevis in C major »Credo Mass« K. 257
BA 7520

Missa in C »Krönungsmesse« / Mass in C major »Coronation Mass« op. 317
BA 7519

Wolfgang Amadeus Mozart
Requiem KV 626
BA 7518

Camille Saint-Saëns
Oratorio de Noël op. 12
BA 7514

Franz Schubert
Messe in G / Mass in G major D 167
BA 7512

Antonio Vivaldi
Introduzione al Gloria. Gloria in D / in D major RV 642, 589
BA 7515

Magnificat in g / in G minor RV 610, 611
BA 7516

Große Werke für das kleine Budget: Zur Aufführung wird lediglich die Sing- und Spielpartitur benötigt.

You need only one edition for soloists, singers and organist alike.

»Die Reihe Chor & Orgel bietet allen Chören die großartige Möglichkeit, bedeutende Chorwerke ohne Orchester aufzuführen. So bleiben diese Werke lebendig und begeistern jeden Chorliebhaber.«

»Choir & Organ presents a great opportunity for all choirs to sing the great choral repertoire without the need for an orchestra – these versions will help to keep these works alive and in the hearts of all lovers of choral music.«

Bob Chilcott

A 224 · 1701